TOCYN I'R NEFOEDD

Dafydd Llewelyn

D0581467

DREF WEN

Cyhoeddwyd gan Wasg y Dref Wen,
28 Ffordd yr Eglwys,
Yr Eglwys Newydd, Caerdydd CF14 2EA
Ffôn 029 20617860

Argraffwyd ym Mhrydain.

You can surrender
Without a prayer
But never really pray
Without surrender

You can fight
Without ever winning
But never ever win
Without a fight *

Ocê, dwi'n gwbod falla na ddyliwn i siarad efo Chdi'r munud hwn, ond mae'r hen Twm Wilias yn uffernol o hirwyntog. Tydw i'm yn amharchus o'r hen Meri Thomas, Ti'n gwbod mod i'n meddwl y byd o'r graduras, ond ffordd mae Twm yn siarad amdani mi fasat Ti'n meddwl mai hi oedd Mam Teresa Llanaber. Duda i mi, ai jyst ni'r Cymry sy'n hefru mlaen yn ddiddiwedd am yr ymadawedig fel hyn 'ta be?

Ydi'r ffaith ei bod hi wedi gwneud sgons a bara brith i aelodau cylch y brodyr am ddeg mlynadd ar hugain o dragwyddol bwys heddiw, duda? Dwi 'di sôn am ei rhinweddau hi'n barod, ddyn. Tasa Chdi ond yn gwbod, yr unig reswm ofynnis i ichdi gymryd rhan oedd i gadw'r blaenoriaid yn hapus.

O dyma ni, ma llais Twm yn dechrau mynd yn gryg. All hyn olygu un o ddau beth. Un ai ei fod o'n dod at ddiwedd ei deyrnged ac isio gorffen ar nodyn emosiynol, neu ei fod o wedi anghofio'r darn nesa ac yn dechra panicio. Plîs, plîs, plîs gad iddo fod y cynta ... Plîs ... Bingo – haleliwia, y cynta ydi o. Reit, gariwn ni mlaen efo'r sgwrs yma'n y munud.

Wedi i Rhys ddod â'r gwasanaeth i ben, rhoddwyd corff Meri Thomas i orffwys ym mynwent Capel Soar, cyn i'r cwta bump ar hugain o alarwyr ymlwybro i gyfeiriad y festri a'r te angladd.

"Gresyn yn wir ein bod wedi colli aelod mor annwyl a ffyddlon," meddai Hari Gresyn, gan stwffio sosej rôl anferth i'w geg a phoeri darnau o *pastry* i bob cyfeiriad. Doedd Rhys ddim yn gwbl sicr os mai hiraeth go-iawn oedd yn gyfrifol am y cryndod dagreuol yn llais trysorydd ac un o flaenoriaid Capel Soar, ynteu'r sylweddoliad dirdynnol na fyddai'n blasu rhagor o gacennau siocled yr ymadawedig.

Aeth Hari'n ei flaen i draethu'n huawdl – rhwng claddu wyth brechdan wy, pedair tafell o fara brith a thair sgonsan – am sut y bu iddo yntau a Meri Thomas ddod yn gyfeillion pennaf wedi iddo achub ei chath yn nechrau'r saithdegau. Fwy nag unwaith, clywodd Rhys sibrydion digon anghynnes hyd y dref yn awgrymu bod Hari yn awyddus i gnoi ar dipyn mwy na chacen siocled Meri, ond i'r hen ddynes druan ddweud wrtho droeon nad oedd ganddi affliw o ddim diddordeb, hyd yn oed a derbyn ei dyled iddo am achub Twm Twm rhag olwynion y lori ludw.

Roedd Rhys ar fin esgusodi ei hun rhag stori arall o eiddo Gresyn pan ynganodd hwnnw'r frawddeg y bu Rhys yn ofni ei chlywed.

"Gresyn am yr amgylchiadau anffodus, ond gan bod hanner y swyddogion yma dwi'n credu y dylem fanteisio ar y cyfle. Beth am i ni fynd drwodd i stafell y blaenoriaid a chynnal cyfarfod i drafod materion ariannol y capel?"

I'r mwyafrif, ystyr y gair 'cyfarfod' yw trafodaeth o dri-chwarter awr, awr ar y mwyaf, ond i Gresyn golygai'r gair artaith o ddwy awr a hanner o leiaf. Yn ddi-os, roedd Hari Gresyn yn drysorydd cydwybodol, ond yn anffodus ef hefyd oedd un o ddynion mwya diflas Llanaber, ac ar ôl gwasanaethu mewn angladd y peth olaf roedd Rhys am ei wynebu oedd cyfarfod dan gadeiryddiaeth Gresyn.

"Syniad da, Hari, ond yn anffodus dwi wedi gaddo mynd i ymweld ag aelod o'r capel."

"O?" meddai Hari, yn amlwg yn ddrwgdybus ohono. "Pwy felly?"

"Pwy? Wel … wel, a bod yn gwbl onast, mi fyddai'n well gen i beidio â deud. Ofynnodd o i mi gadw'r peth yn ddistaw; tydi o'm isio ffỳs, nac am i neb ddod i wbod ei fod o'n sâl."

Gosododd Gresyn ei blât ar y bwrdd ac ebychu'n ddiamynedd. Sylwodd Rhys ar geiriosen yn glynu wrth ochr ceg y trysorydd, ac roedd ar fin tynnu ei sylw ati, ond cafodd Gresyn y blaen arno.

"Ylwch, Mr Roberts, tydw i'm isio bod yn bowld, ond dwi wedi bod yn trio trefnu'r cyfarfod yma efo'r swyddogion a chitha ers pythefnos, ond ma gynnoch chi ryw broblem neu esgus bob tro."

Gwyddai Rhys bod ei drysorydd ar fin dringo ar gefn ei geffyl ac felly trodd oddi wrtho ac anelu'n reit handi am Gwyneth ac Ann Thomas i ddiolch iddynt am baratoi'r te angladd, cyn sleifio o'r festri. Ond roedd yn amlwg nad oedd Gresyn am ildio mor rhwydd â hynny. Wrth i Rhys gau drws y festri ar ei ôl, fe'i ailagorwyd yn nerthol gan y trysorydd a mynnodd Hari gydgerdded gyda'i weinidog at ei gar, gan ennill cyfle arall i bwysleisio'r angen i gynnal cyfarfod i drafod y costau cynyddol a wynebai'r capel.

"Gresyn o beth fyddai gweld y capel yn wynebu argyfwng ariannol, ac efallai'n gorfod cau ei ddrysau unwaith ac am byth. Byddech chi allan o waith a byddai pobl Soar yn ..."

Boddwyd gweddill araith ymbilgar y trysorydd wrth i Rhys danio injan y rhacsyn Volvo 440 dcuddeg mlwydd oed a yrrai. Cododd y gweinidog ei law a ffarwelio â'i drysorydd, cyn gyrru drwy giatiau Capel Soar heb unrhyw syniad i ble roedd am fynd.

PENNOD 2

Teithiodd Rhys yn gwbl ddigyfeiriad hyd ychydig strydoedd Llanaber cyn penderfynu troi trwyn y car tuag at Moelfre. Roedd digon o aelodau'i gapel yn wael neu'n llesg, ond doedd ganddo fawr o awydd nag amynedd rhyw fân siarad am y tywydd a *varicose veins*. Stopiodd yn y garej fach i brynu paced o sigaréts a banana cyn parcio'i gar wrth droed Moelfre a dechrau cerdded.

Dau beth dwi rioed wedi'u dallt o ran Chdi a'r hen fyd 'ma – pam na allwn ni gael digon o haul i dyfu bananas yng Nghymru, a pham roist Ti dwll tin i ddefaid? Ma'u baw nhw'n bla hyd Moelfre 'ma; ma isio llgada yng nghefn dy ben i osgoi'r dam peth.

Gan wneud ei orau i osgoi baw defaid ac eithin pigog, anelodd Rhys am y copa. Gwenodd yn hunanfodlon wrth edrych ar ei oriawr – llai nag ugain munud i gyrraedd pen y bryn. Roedd yn haeddu sigarét am ei gamp.

Doedd dim yn well ganddo na chael eistedd ar gopa Moelfre yn edrych i lawr ar bentre Llanaber, *Benson and Hedges* yn un llaw a banana yn y llall. Os y bu i R. Williams Parry wironi ar lonydd gorffenedig y Lôn Goed, llonyddwch a moelni Moelfre oedd yn apelio at Rhys Roberts. Treuliai oriau'n rhoi'r byd yn ei le yn y llecyn hwn, gan edrych lawr ar dre Llanaber a draw am gyfeiriad y môr. Hwn oedd y man agosaf i'r nefoedd yn nhyb y gweinidog naw ar hugain mlwydd oed.

Sori am ddeud clwydda wrth Gresyn gynna, ond doedd gen i'm mynadd gwrando arno fo'n mynd trwy'i betha pnawn 'ma. Wn i bod petha'n edrych yn ddigon du ar Soar ar hyn o bryd, ond ti'n gwbod be, tydi o fawr o ots gin i bellach. Rŵan, cyn i Chdi ddechra myllio a gwylltio, o leia dwi'n onest efo Chdi – ac mae hynna'n bwysig, tydi? Dwi wir ddim yn gwbod am faint alla i gario mlaen. Tydi Soar a'r lle 'ma'n prysur farw ar eu traed?

Sbia arnyn nhw'n gadael y festri a'r fynwant draw fan'cw –

prin ei bod hi werth i'w hanner nhw fynd adra. Hen bryd i Ann Thomas druan gael clun newydd hefyd, mae hi wedi cloffi mwy yn ystod y ddau fis diwetha 'ma. Sbia arni hi a Gwyneth yn stryffaglu mewn i'r Triumph Dolomite 'na, craduriaid. Os ydi be ma pobl yn ei ddeud yn wir, debyg eu bod nhw'n agos at fod yn filionêrs. 'Sat ti'n meddwl basa nhw'n laru gwisgo blowsys blodeuog a sgertia tartan glas, trwy'r adeg

Ti'n meddwl ga i'r car 'na ar eu hola nhw, unwaith iddyn nhw gicio'r bwcad? Dim ots gin i os ydi o'n felyn ac yn chwarter canrif oed, mae o'n sleifar o gar, a 'swn i'm yn deud bod o wedi gneud mwy nag ugain mil o filltiroedd. Ac eithrio angladd neu gyfarfod undebol, dim ond dwywaith yr wythnos mae o'n dod o'r garej, i brynu'r negas wythnosol yn Kwiks ar bnawn Mercher ac i dywys y ddwy i'r capel ar fore Sul. Mi fydd raid i mi ffalsio ombach bach mwy efo Cagney a Lacey i neud yn siŵr bod yr ewyllys 'na'n deud mai fi fydd bia'r Dolomite. Wel, i bwy arall gna nhw adal o? Sgin y ddwy begor neb arall yn yr hen fyd 'ma ond nhw'i gilydd. Beryg eith Gresyn i drio hel ei draed dan bwr hefo un ohonyn nhw rŵan – neu'r ddwy falla, meddylia ... ych a fi, dwi newydd golli'r awydd am y fanana 'ma rŵan, damia.

Sbia ar Dic Deryn Corff yn ei droi hi am adra efo'i garrier bag *arferol yn llawn o sosej rôls a bara brith. Dwn i'm sut mae o'n gneud bywoliaeth fel* accountant, *tydi o'n mynd i bob angladd yn y sir 'ma? Tydi o'm yn gweithio i Chdi, nagdi? Gneud ryw adroddiad bob wsnos yn deud pa mor dda ydan ni am roi* send-off *i bobl y lle 'ma?*

Siŵr bod Meri Thomas druan reit ypsét bod cyn lleied wedi dod i ddeud ta-ta wrthi. Dwi'n gwbod ei bod hi'n ganol wsnos a ballu, ond 'sa mwy 'di gallu neud bach o ymdrech i droi fyny, a hitha wedi bod mor ffyddlon. Hi 'di'r pumed i fynd mis yma, beryg fydd Dic yn marw o newyn cyn hir, a finna allan o waith. 'Dan ni lawr i bedwar deg pump rŵan, a dim ond ryw bymtheg o'r rheiny sy'n trafferthu twllu'r lle. Dim ond pregethu a chladdu dwi'n neud yma; ma pob dim arall yn y capel 'cw 'di dod i stop – dim seiat, dim cylch y brodyr, dim cyfarfod chwiorydd. Argol, mae'n depressing *yma.*

Sy'n codi'r cwestiwn, be uffar dwi'n da yma? Ma pawb arall o'r criw coleg yn mynd i Florida neu Hawaii ar eu gwyliau. Lle dwi a Llinos yn mynd? Oban. Ia, wn i, taswn i wedi gweithio'n galetach yn coleg falla 'swn inna'n cal cyflog o dri deg mil a thri mis o wylia fel yr athrawon yma, ond hei, mi o'n i wedi gobeithio fasa Chdi'n edrych ar ôl dy bobl ombach bach gwell. Ti rioed 'di clywad am y minimum wage *fyny fan'na?*

Pam dwi'n deud fyny fan'na? Pam dwi'n siarad efo Chdi? Dwi'm yn siŵr weithia os w't Ti'n bodoli o gwbl. Meddylia sgŵp i'r papur lleol fasa hynna, gweinidog Methodist y lle 'ma'n ama bodolaeth Duw. 'Swn i'n medru claddu gweddill aeloda Soar i gyd mewn un pnawn a ffeindio joban iawn yn rwla arall. Falla ma dyna fasa ora i Chdi a fi 'sti – 'sa Chdi'n cal rywun newydd i drio rhoi bach o sbarc yn y capal 'cw a 'sa swydd newydd mewn ardal newydd yn gyfla i mi gael newid. Neu, well byth, 'swn i a Llin yn mynd i Seland Newydd am flwyddyn – cal teithio'r wlad a mwynhau ombach ar fywyd.

Dychwelodd Rhys i realiti bywyd wrth deimlo cryndod digon pleserus yn ei boced. Cafodd ei demtio i adael i'w ffôn symudol grynu ychydig yn rhagor, ond penderfynodd mai gwell fyddai ateb yr alwad.

"A sut ddiwrnod mae gweinidog delia Llanaber wedi'i gael?"

"Newydd gladdu un o'r ychydig aeloda oedd gin i ar ôl yn y lle 'ma, a ma 'nhrysorydd i am fy ngwaed i – grêt, uffar o ddiwrnod da. A chditha?"

"Tsiampion, ma blwyddyn chwech bron â gorffan eu harddangosfa – da ydi hi hefyd. Dduda i'r stori wrtha chdi nes ymlaen. Ti am ddod yma i gael bwyd neu ti isio i mi bicio draw i tŷ capal?"

"Na, ddo i atat ti os ydi hynna'n iawn efo chdi."

"Ocê. Lle w't ti ar y funud?

12

"Moelfre."

"Trafod y byd a'i nain efo fo, 'lly? Wel, fydd bwyd yn barod mewn ryw awr, ydi hynna'n iawn?"

"Ydi, grêt."

"Welai di 'radag hynny. Ta-ra."

Ma hi'n haeddu gwell na fi, ond paid â deud hynna wrthi. Naw mlynadd lawr lein a 'dan ni'n dal efo'n gilydd – o leia ma'n profi dy fod Ti'n dal yn gallu gneud rhai gwyrthia. Stwffiodd Rhys y croen banana i'r naill boced a'r paced *Benson and Hedges* i'r llall, a cherdded i lawr y Moelfre dan ochneidio'n drwm.

Reit, ro i chwe mis i Chdi ac os na fydd petha'n gwella dwi'n mynd i chwilio am rwbath arall, Ti'n dallt? O blydi hel, fy sgidia angladd i! Peth ola dwi isio ydi rhain yn drewi o gachu defaid ... a 'sgin i'm hancas i'w llnau nhw chwaith, felly fydd y car yn drewi rŵan hefyd. Damia uffarn. Ma gin Ti hiwmor od ar y naw weithia.

PENNOD 3

Wrth i Moelfre ddiflannu'n raddol y tu ôl iddo cafodd Rhys bwl o euogrwydd. Gwyddai'n iawn nad oedd sefyllfa ariannol y capel cynddrwg ag yr oedd Gresyn yn ei ddweud, ond roedd hefyd yr un mor ymwybodol mai dim ond gwneud ei waith oedd yr hen Gresyn, a theimlai ychydig yn annifyr am ei heglu hi o'r capel mor swta wedi angladd Meri Thomas. Mewn ymgais i leddfu rhywfaint ar ei gydwybod penderfynodd Rhys y dylai fynd i weld aelod o'r capel, ac felly trodd i'r chwith yng nghanol y pentref a chyfeirio trwyn y car am stad Bryn Celyn.

Er nad oedd John yn aelod o'r capel, roedd ei gariad, Meinir, yn un o ffyddloniaid Soar a'u merch, Catrin, yn un o selogion yr Ysgol Sul. Llond llaw o blant oedd yn mynychu'r Ysgol Sul, pob un ohonyn nhw yn ddigon annwyl, ond roedd Catrin yn ffefryn gan Rhys. Yn saith mlwydd oed, roedd hi'n gymeriad a hanner, yn rhegi fel trŵpar ac yn byrlymu efo hiwmor ac anwyldeb. Bu'r teulu bach hwn drwy'r felin yn ystod y flwyddyn ddiwethaf wedi i Catrin ddisgyn yn glewt ar iard yr ysgol a chrafu'i braich yn gas. Gan fod y gwaed wedi llifo'n ddiddiwedd, aethpwyd â hi i'r ysbyty a sylweddolodd y meddygon fod rheswm difrifol dros y diffyg ceulo. Roedd y diagnosis o lewcemia yn ergyd drom i'w theulu a'i chyfeillion, a bu'n ddechrau ar fisoedd o driniaeth cemotherapi. Er gwaetha ymdrechion y meddygon, sylweddolwyd mai unig obaith Catrin oedd trawsblaniad mêr yr esgyrn ac roedd ymgyrch ar droed i'w chludo i America i geisio canfod rhywun cymwys i gynnig trawsblaniad iddi. Roedd trigolion y pentre wrthi'n ddiwyd yn ceisio codi'r swm angenrheidiol ar gyfer siwrne'r teulu i America, gyda chwsmeriaid tafarn y Swan ac aelodau Soar am y gorau i godi'r cyfanswm mwya.

Er ei gwaeledd, crefodd Catrin ar ei rhieni i adael iddi barhau i fynychu'r ysgol – roedd yn gwirioni ar y lle ac ar yr athrawon, yn arbennig felly Llinos. Oherwydd natur ei thriniaeth, doedd y fath beth ddim yn bosib, ond cynigiodd

Llinos bicio draw i'w chartref a threulio ychydig o oriau'n wythnosol gyda'r ferch a'i mam er mwyn sicrhau na fyddai ei haddysg yn dioddef yn ormodol, ac roedd trefniant o'r fath wrth fodd pawb, yn arbennig felly Catrin.

"Mam, ma mêt Iesu Grist yma."

Gallai Rhys glywed llais Catrin yn glir wrth iddo gerdded tuag at y drws ffrynt, ac wrth i Meinir agor y drws ffrynt iddo sylwodd Rhys bod golwg lwyd arni, er iddi geisio celu hynny gyda'i gwên arferol.

"Haia, ydw i 'di galw ar amser anghyfleus?"

"Naddo siŵr, fi sy'n trio cal trefn ar y tŷ 'ma. Tyd i mewn."

Tynnodd Meinir ei menig rwber melyn ac arwain Rhys i'r lolfa, lle roedd Catrin yn gorwedd ar y soffa.

"Haia, blodyn!" meddai Catrin yn siriol. "W't ti isio diod cyn dechra chwara?"

Er i Meinir ddweud droeon wrth ei merch y dylai gyfarch oedolion fel 'chi', roedd Rhys yn fwy na bodlon i Catrin ei alw'n 'ti', ac wrth wrando ar y sgwrs rhyngddynt byddai rhywun yn taeru eu bod yn ffrindiau pennaf.

"Sut w't ti heddiw?" holodd Rhys.

"Dwi'n ocê, ond ma 'na gythral o dempar ar Mam."

Gan ei fod yn awyddus i gadw'r ddysgl yn wastad rhwng y fam a'i merch, doedd Rhys ddim yn gwbl sicr a ddylai wenu neu beidio, ond daeth Meinir i'r adwy wrth iddi sylwi fod y sgwariau hufen hynny sy'n rhan o'r gêm *Scrabble* wedi'u gwasgaru hyd y llawr.

"Catrin, dwi 'di gofyn i chdi gadw'r gêm 'ma ers hydoedd."

"Ond Mam, o'n i'n gwbod bod Rhys ar ei ffor, a'i fod o isio chwara."

Am yr eildro, ceisiodd Rhys gadw gwyneb syth wrth i Meinir fynd ar ei gliniau, a dechrau casglu'r llythrennau bach at ei gilydd.

"Gymri di banad neu rywbeth?"

"Na, alla i'm aros yn hir. Ar fy ffor i gal te yn tŷ Llin ydw i, a gan mod i'n pasio o'n i'n meddwl 'swn i jyst yn piciad i mewn i ddeud helô."

"Chwara teg i ti. Stedda am funud bach 'te. Sut aeth angladd Meri Thomas? Mi o'n i wedi meddwl mynd, ond oedd gen i neb i warchod ac ma John fyny at ei glustia yn y garej."

Roedd Rhys ar fin dechrau dweud fel y bu i Twm Wilias baldaruo'n ddiddiwedd, pan ganodd y ffôn. Cwynodd Catrin nad oedd llonydd i'w gael ac aeth Meinir allan o'r lolfa, i'w ateb.

"Rŵan 'ta, ti am chwara'r gêm 'ma efo fi neu beidio?"

Edrychodd Rhys ar ei oriawr gan fwriadu dweud wrthi y byddai'n well iddo fynd, ond prin y cafodd gyfle i agor ei geg cyn i Catrin osod y stribed llwyd sy'n dal y llythrennau yn ei law a datgan:

"A' i'n gynta."

Gwyliodd Rhys ei dwylo bach yn gosod y sgwariau mân yn ofalus a thwt ar y bwrdd, gan lunio'r gair 'mochyn'. Cyfrodd Catrin werth y llythrennau gyda balchder, cyn gweiddi'n uchel ei bod wedi cael un pwynt ar bymtheg. Doedd Rhys ddim yn gwbl argyhoeddedig bod ei sgiliau cyfri gystal â'i dawn dweud, ond doedd fawr o ots ganddo am hynny.

"Da iawn chdi. Wyddost ti, mae un deg chwech yn rif lwcus iawn i mi."

"Ydi o? Pam?"

"Achos, dyna'r diwrnod ges i 'ngeni."

"Un deg chwech o be?"

"O'r wythfed. Mis Awst."

"Faint oed w't ti 'ta?"

"Dau ddeg naw."

"*God*, ti'n hen yn dwyt? Dim ond saith ydw i."

"Faint sy 'na rhyngtha ni'n dau 'ta?"

Edrychodd Catrin ar Rhys am eiliad, cyn ebychu'n ddiamynedd.

"Wel, dau ddeg dau, siŵr Dduw. Ti'm yn dda iawn efo rhifa, wyt ti?"

Hei, dwi wedi meddwl am gwestiwn arall o'n i isio ofyn i

Chdi hefyd. Pam bod gwreiddioldeb plant yn cael ei golli wrth iddyn nhw fynd yn hŷn? Os ti isio tystiolaeth, sylwa ar hon a Gresyn. 'Na Chdi syniad – be taswn i'n cael Catrin yn drysorydd yn Soar? 'Sa 'na ddigon o fywyd yn y lle 'cw wedyn, a 'sa ni'n cal ombach o hwyl.

Penderfynodd Rhys y dylai ganolbwyntio ar y gêm. Edrychodd ar ei lythrennau a mentro gosod y gair 'dant' ar y bwrdd. Aeth Catrin ati i gyfri gwerth y gair.

"Pump. Ti'n *crap* efo geiria hefyd, dwyt?"

Yn anffodus iddi, roedd ei mam ar ei ffordd yn ôl i mewn i'r lolfa, ac fe glywodd Catrin yn rhegi. Roedd hi'n gwarafun digon bod ei merch yn galw 'ti' ar y gweinidog, ond yn sicr doedd hi ddim am adael iddi regi o'i flaen yn ogystal, felly cafodd Catrin orchymyn swta i ymddiheuro'n syth bìn ac i gadw'r darnau bach hufen. Teimlodd Rhys y dylai fanteisio ar y saib annifyr a'i throi hi am gartref Llinos.

"Reit, well i mi fynd, neu beryg fydd fy mwyd i yn y bin. Wela i di eto, Catrin."

Wrth iddo adael yr ystafell, gallai Rhys weld y dagrau'n cronni yn llygaid Catrin, a phenderfynodd geisio achub ei cham.

"Pawb yn rhegi weithia 'sti, Meinir. Hyd yn oed gweinidogion parchus fel fi."

Llwyddodd geiriau Rhys i roi gwên ar wyneb Meinir, ac wrth iddi agor y drws, trodd ato a dweud yn gyfeillgar.

"O'n i'n gwbod 'sat ti'n trio cadw'i phart hi. Ma'n ddigon anodd cadw trefn arni heb gal y gweinidog yn ei hannog hi. 'Dach chi'ch dau cyn waethed â'ch gilydd."

"Oedd Catrin yn iawn gynna, ma 'na gythral o dempar arna chdi."

Edrychodd Meinir arno a gwenu.

"Gobeithio bod Llin wedi rhoi chydig o *arsenic* yn dy swper di."

Wrth iddo wthio'i fforc i mewn i'w swper, cofiodd Rhys eiriau

Meinir.

"Be sy'n bod? Tydi o'm 'di'i goginio'n iawn?"

"Na, mae'n iawn. Jyst cofio fod Meinir 'di dweud gynna ei bod hi'n gobeithio y baset ti'n rhoi *arsenic* yn fy swper i."

"A chosta claddu mor gythreulig o ddrud? Dim peryg! Sôn am gladdu, sut âth angladd Meri druan?"

Rhwng cegeidiau o bei cyw iâr a thatws newydd, adroddodd Rhys hanes ei ddydd. Roedd tôn ei lais yn gwbl wahanol i un Llinos. A hithau wrth ei bodd gyda'i swydd, câi fwynhad amlwg o fod yng nghwmni'r plant, a phob amser te adroddai stori newydd wrth Rhys am ryw ddigwyddiad neu'i gilydd yn yr ysgol. Roedd Llinos wedi'i geni'n unswydd i fod yn athrawes ysgol gynradd, a Rhys wedi'i dynghedu i gladdu a chwyno.

Yn eironig ddigon, y fo oedd yn awyddus i symud i fyw i Lanaber yr haf wedi i'r ddau raddio o Aberystwyth yn 1995. Wedi pedair blynedd o astudio roedd y ddau â'u bryd ar fynd draw i Seland Newydd am gyfnod ond cafodd Rhys gynnig i weiniodogaethu yng Nghapel Soar, Llanaber, ac am y tro cyntaf – a'r tro olaf – yn eu perthynas, Rhys oedd yr un aeddfed a chyfrifol. Llwyddodd i argyhoeddi Llinos fod cyfle o'r fath yn un na allai ei wrthod, yn enwedig o gofio bod swydd yn ysgol gynradd Llanaber wedi'i hysbysebu hefyd.

Er nad oedd Llinos yn credu mewn crefydd na Duw, yr oedd yn cyfaddef fod rhywun neu rywbeth wedi gwenu arni oddi uchod, achos dyna'r penderfyniad gorau iddi ei wneud erioed. Ymhob agwedd, roedd dysgu yn Llanaber yn nefoedd iddi. Roedd y plant yn ei hysbrydoli, y cydweithwyr yn hwyl a'r rhieni'n gefnogol. Gyda threigl amser, gwelwyd gweddnewidiad llwyr o ran agwedd y ddau at eu gwaith – roedd Llinos yn byw er mwyn y plant a'r ysgol, tra bod Rhys erbyn hyn yn credu y byddai ganddo fwy o ddyfodol pe bai'n mynd i weithio fel swyddog cyhoeddusrwydd George Bush yn Baghdad.

"Ddudis i wrtha chdi bod blwyddyn chwech ar fin gorffen

eu harddangosfa ar gyfer y diwrnod agored?"

"Do."

"Wir i ti, mae hi werth ei gweld, hyd yn oed os ydw i'n deud fy hun. Mae hyd yn oed Geraint wedi bod yn aros ar ôl ysgol i 'neud yn siŵr fod popeth wedi'i orffen."

"Chwara teg iddo fo."

"Maen nhw wedi penderfynu cymryd gwahanol wledydd fel y thema, a ti'n gwbod be ddudodd Siôn Alun wrth ei nain neithiwr?"

"Na."

"Ei fod o'n gyfrifol am Ffrainc – a hynny am fod ei dad wastad yn deud mai fan'no ma'r gwin gora yn y byd."

"Gobeithio fydd Catrin ddigon da i ddod i'r ysgol ar gyfer y diwrnod agored."

"Sut oedd hi gynna?"

"Ddim yn sbesh. Oedd Meinir yn edrach yn ddigon llegach hefyd."

"Dwi'm yn gwbod sut ma'r graduras 'na gystal."

"O'n i'n meddwl ar ffor adra falla 'sa ni'n dau yn medru cynnig gwarchod rywbryd, fel bod hi a John yn cael brêc am ychydig o oria."

"Ti'n gwbod be? Ti'n galon i gyd!"

"Wrth gwrs mod i," meddai Rhys yn gellweirus, "dyna pam ti mor lwcus o 'nghal i'n gariad i ti yntê? Be 'swn i'n ffonio'r ddau nes mlaen a chynnig gwarchod nos Sadwrn? Ti'm yn gneud dim byd, w't ti?"

"Dwi ddim, ond mi w't ti."

"Ers pryd?"

"Ers i mi weld Gresyn yn siop gynna. Oedd o isio i mi ddeud 'tha chdi bod 'na ryw gyfarfod pwysig o'r Is-bwyllgor Cyllid wedi'i drefnu at nos Sadwrn yn y festri am hanner awr wedi saith, ac oni bai bod 'na ddôs go ddrwg o'r Pla Du wedi taro Llanaber, mi fydd y cyfarfod yn mynd yn ei flaen doed a ddelo. Tair gwaith ddudodd o wrtha i bod rhaid i mi gofio deud 'tha chdi. Ydi'r boi 'na'n meddwl mod i'n ddwl ta be?"

"Gyfeillion, nid gormodedd yw dweud bod y rhagolygon yn eithriadol o ddu, a gresyn yw gorfod datgan ei bod yn unfed awr ar ddeg yn hanes Capel Soar. Fel y ceisiais ddangos eisoes, mae'r ffigyrau diweddaraf hyn yn profi'n ddiamheuol ..."

Be uffar dwi'n neud yn fan'ma? Am chwarter i naw ar nos Sadwrn ma pawb call yn ista mewn tafarn yn cael cwpwl o beints neu'n cal bonc adra, a lle dwi? Yn festri capal yn clywad bod nifer aeloda'r lle 'ma lawr i ddeugain a phump, bod wyth deg pump y cant o'r rheiny'n agos at eu hwythdegau ac, i goroni'r cyfan, bod y lle ddeng mil ar hugain yn y coch. Pam nad anghofiwn ni bob dim am y blydi lle a mynd i'r Swan am beint? Ma Gresyn 'di bod yn traethu am awr a 'swn i'n deud bod ganddo fo o leia bymtheg tudalen yn weddill o'i dam adroddiad.

Ceisiodd Rhys edrych ar y gweddill i weld beth oedd eu hymateb i ddarogan tywyll a hirwyntog eu cyd-flaenor. Cyn i Gresyn orffen ei baragraff cyntaf, roedd Arwel Ellis yn cysgu'n drwm. Yn gwbl fwriadol roedd wedi dewis eistedd ger y gwresogydd fel na allai ei gyfoedion wahaniaethu rhwng sŵn ei chwyrnu a sŵn y peiriant o oes yr arth a'r blaidd a gynigiai ryw lun o gynhesrwydd i ystafell y blaenoriaid. Ers chwarter awr a rhagor, roedd Dic Deryn Corff wedi cael ei boenydio gan ryw sbotyn y tu mewn i'w drwyn, ac roedd yng nghanol y broses o wthio hances bapur i fyny'i drwyn a thrwy'r blew er mwyn gwasgu'r ploryn aflwydd. Gwyddai Dic pa mor ddiflas y gallai Gresyn fod, ac felly nid oedd wedi rhoi batri newydd yn ei falwen glust cyn cychwyn am y festri y noson honno.

Yr unig un oedd yn gwbl effro ac yn cydio ym mhob sill a ddôi o enau Gresyn oedd Brenda Walters. Hi oedd blaenores gyntaf y capel, a bu'n awyddus i wneud ei marc a phrofi ei bod yn cymryd ei dyletswyddau yn gyfan gwbl o ddifri. O ganlyniad, roedd yn mynychu pob cyfarfod a phwyllgor gyda llyfr nodiadau'n dynn dan ei chesail. Drwy gydol pob cyfarfod, ysgrifennai'n ddi-baid, gan gofnodi pob manylyn, boed o bwys neu beidio. Pe bai rhywun wedi bod yn ddigon hirben i brynu cyfranddaliadau yng nghwmni Bic y diwrnod y cafodd Brenda ei derbyn yn flaenores yn Soar, byddai'n eistedd ar gelc go sylweddol erbyn hyn. Ers misoedd, bu Rhys yn pendroni beth goblyn roedd hi'n ei wneud efo'r holl bapurau a dogfennau. Ofnai ei bod wedi adeiladu ryw fyncar dan ei byngalo a bod hwnnw'n llawn i'r ymylon o bapurau yn nodi hynt a helynt ei gapel – deunydd y gellid ei ddefnyddio unrhyw bryd yn y dyfodol pe bai Rhys yn digwydd pechu neu dramgwyddo Brenda.

Aelod olaf yr is-bwyllgor oedd Robin Rhech, gŵr hynaws ond un oedd â thueddiad anffodus i ollwng gwynt bob tro y câi bwl o nerfusrwydd. Bu raid iddo gael ei esgusodi rhag gwneud y cyhoeddiadau yn y gwasanaethau ar fore Sul wedi i weddill y blaenoriaid fygwth ymddiswyddo *en bloc* pe na ddigwyddai hynny. Er gwaethaf hyn, roedd Robin yn driw iawn i'r capel ac i Rhys. Pe bai'r gweinidog mewn argyfwng gwyddai y gallai droi at Robin ac, yn bwysicach efallai, gwyddai na fyddai cynnwys eu sgyrsiau'n cael ei ddatgelu i neb. Roedd Robin fel y banc – banc digon drewllyd ar brydiau ond, er hynny, yn fanc dibynadwy.

"Gresyn yn wir nad yw ein pobl ifanc yn mynychu Soar; byddai'n llawer gwell iddynt glywed Mr Roberts yn traethu ar fore Sul na gwrando ar y petha pop yma'n eu hannog nhw i gymryd cyffuriau, dwyn ceir ac addoli Satan.

"Mae angen i ni i gyd yn Soar osod esiampl dda i'n pobl ifanc, eu dysgu nhw sut i fyw yn agos at Dduw ac am bwysigrwydd glân briodas …"

Fi sy'n cael honna yntê? Wyt Ti a fi yn gwbod fod hwn yn asgwrn gan Gresyn a'i griw ers blynyddoedd, tydan? Ydi o wir ots gen Ti tybed? Ydw i a gweddill trigolion Llanaber am fynd ar 'yn penna i uffern am nad ydi dy was bach di yn Soar yn briod? Reit, dwi 'di cael digon ar hyn, mi fyddwn ni yma tan hanner nos …

Roedd Rhys ar fin torri ar draws Gresyn a dweud wrtho am roi'r gorau i falu awyr pan agorodd drws y festri. Safai John, tad Catrin, yno, yn gwenu o glust i glust, a'r arogl alcohol arno'n ddigon i atgyfodi rhes gyfan o'r meirw ym mynwent y capel.

Ara deg rŵan, be 'di hyn? Tydi John ddim yn aelod heb sôn am fod yn flaenor yma.

Ffroenau Brenda oedd y rhai cyntaf i synhwyro'r 'arogl', a daeth y feiro las yn ei llaw dde i stop yn ddisymwth. Trodd ei phen ac edrych ar John.

"'Dach chi 'di bod yn yfed, Mr Evans?"

Edrychodd John ar y mynydd papur oedd yn amgylchynu ei thraed.

"Asu, 'dach chi'n trio dynwared y boi 'na ddaru gyfieithu'r Beibl 'ta be? Ma gin i amball i stori newydd falla 'sa'n fwy handi i chi."

Plîs helpa fi rhag chwerthin, plîs. Sgin i'm syniad be sy'n mynd mlaen yma, ond be bynnag ydi o, mae o werth i Ti sbio ar Brenda Bic – sbia arni!

Ers blynyddoedd bu Brenda'n dioddef o bwysedd gwaed uchel ac, o'r herwydd, roedd ei bochau bob amser yn goch, ond pan glywodd sylw John fe droesant yn biws mewn hanner eiliad.

Tynnodd Gresyn ei sbectol a dweud yn ddigon llugoer ond awdurdodol: "Mae Is-bwyllgor Cyllid Soar yng nghanol cyfarfod allweddol a thyngedfennol, felly os fyddech chi mor garedig …" Amneidiodd i gyfeiriad y drws gan obeithio y byddai John yn ei heglu hi oddi yno cyn gynted â phosib, ond yn anffodus i Gresyn penderfynodd John anwybyddu ei gyngor. Martsiodd yn dalog i'r lle y safai Gresyn, gan orfodi hwnnw i symud i'r naill ochr. Edrychodd John ar y llith o'i flaen a chraffu am sbel ar lawysgrifen Gresyn, cyn troi ato i'w annerch.

"Chwara teg i chi, ma'ch Cymraeg chi'n dda iawn, Mr Evans. Neu o leia 'dach chi'n gwbod lot o eiria mawr. Be ydi ystyr cyfr … an … ddalia …"

"*Shares.*"

"Wel, dwi'm yn gwbod faint o gyfran … ddal … *shares* sgynnoch chi, ond wrth weld y ceir sy tu allan i fan hyn bob bora Sul a'r siwtia ma rhai ohonach chi'n wisgo, 'swn i'n deud bod chi'n *loaded.*"

Roedd llais sgwrsio anffurfiol John yn dra gwahanol i ddull pregethwrol Gresyn, ac mae'n debyg mai'r gwahaniaeth hwnnw fu'n gyfrifol am ddeffro Arwel Ellis o'i drwmgwsg. Pan wnaeth, fe gafodd gryn sioc wrth weld mecanic garej Garth yn annerch yr is-bwyllgor.

"Haia, Mr Ellis, chwara teg i chi am ddeffro, debyg ma cysgu 'swn inna hefyd 'swn i'n gorfod gwrando ar eiria Cymraeg hir fel rhain."

Gwenodd Arwel yn ansicr ar John.

Erbyn hyn, roedd Brenda Bic wedi cael ail wynt o rywle ac wedi dechrau ysgrifennu fel William Morgan ar LSD, yn amlwg yn y gobaith y gellid defnyddio'r cyfan fel tystiolaeth mewn achos o enllib neu gabledd yn yr Uchel Lys yn Llundain.

"Wel, be bynnag ydy'ch sefyllfa chi, 'swn i'n awgrymu y dylia chi roi codiad cyflog i'r boi 'ma," meddai John, gan bwyntio i gyfeiriad Rhys.

Shit! Be dwi fod i ddeud mewn sefyllfa fel hon?

Hyd at yr eiliad honno, roedd Rhys wedi bod yn mwynhau'r datblygiad anghyffredin hwn yng nghyfarfod y pwyllgor, ond pan gyfeiriodd John ato'n uniongyrchol, trodd pawb i edrych arno mewn syndod a theimlodd Rhys ryw ias yn mynd i lawr ei gefn. Roedd angen iddo ddweud rhywbeth, er nad oedd ganddo glem ble i ddechrau.

"Wel … dwi'n ddiolchgar iawn am yr … awgrym caredig hwnnw, John … ym … Mr Evans … ond tydw i'm yn gwbl sicr os mai dyma'r amser …"

"Rho gora i'r malu cachu gwirion 'ma, Rhys bach. Ti'n *genius* … na, na, ti'n fwy na hynny … ti'n blydi *prophet.*"

Bu'r ffaith i John regi a chymharu Rhys â'r Proffwydi Mawr

yn ormod i Brenda. Cododd ar ei thraed, brasgamu at John a phwyntio'r feiro las yn fygythiol o fewn dwy fodfedd i'w drwyn.

"Gwrandwch yma, ddyn. Ma'r lle 'ma'n sanctaidd, a ddylia bod gynnoch chi gwilydd meiddio dod ar gyfyl y capel 'ma dan ddylanwad alcohol, a rhegi yng nghlyw y Bod Mawr a phobl dda y lle hwn."

Yn anffodus, amharwyd cryn dipyn ar ergyd cymal olaf pregeth Brenda Bic gan lais crynedig Dic Deryn Corff.

"'Sach chi'n meindio siarad 'bach yn uwch, Brenda? Dwi 'di gadal fy *hearing aid* adra ..."

Fel petai hynny ddim yn ddigon, penderfynodd Robin gadw'n ffyddlon i'w lysenw a gollwng rhech sylweddol. Aeth ychydig o eiliadau heibio a neb yn gwybod sut yn union i ymateb.

Doedd John ddim yn aelod o Gapel Soar, ac ar ôl y fath groeso roedd yn amlwg na fyddai'n rhuthro i brynu llyfr emynau yn y dyfodol agos. Edrychodd ar yr unigolion o'i gwmpas ac ysgwyd ei ben mewn anghredinedd cyn troi at Rhys.

"Gin i biti drosta chdi, Rhys, yn gorfod gweithio efo'r nytars yma. Dwi'm yn synnu bod y seddi yma'n wag bob dydd Sul. Dim ond dod yma i ddeud diolch i ti 'nes i, a be dwi'n gal? Un yn chwythu *gasket* a'r llall yn chwythu trwy'i egsôst."

Ar hynny, trodd John ar ei sawdl ac anelu am y drws. Dylai Rhys fod wedi gadael iddo fynd yn ddigwestiwn, ond roedd eisiau esgus i ymbellhau o ddrewdod Robin, felly dilynodd y mecanic.

"Diolch i mi am be'n union?"

"Am helpu Catrin ni i ddewis rhifa loteri. Gawson ni'r jacpot gynna, *three and a half million*. Mi geith fynd i America i gal triniaeth rŵan, diolch i ti. Ti'n *star!*"

Gyda'r geiriau hynny, cerddodd John o ystafell y blaenoriaid gan adael Rhys yn fud a swyddogion yr Is-bwyllgor Cyllid yn gegrwth.

"Sut aeth hi?" oedd y cwestiwn a gyfarchodd Rhys wrth iddo agor drws ffrynt y tŷ capel, a phan glywodd Llinos yr ateb "Tyd, awn ni â Panty am dro a gei di'r hanes," gwyddai nad oedd pethau wedi mynd yn rhy hwylus.

Wrth gerdded ar hyd y traeth, ni allai Llinos wneud dim ond chwerthin wrth glywed am berfformiad John yng nghyfarfod yr Is-bwyllgor Cyllid.

"Digon hawdd i chdi chwerthin, ond o'n i wir yn meddwl fod Brenda Bic yn mynd i gal hartan yn y fan a'r lle."

Taflodd Rhys bêl blastig i gyfeiriad y môr, a rhedodd y *terrier* fel rhywbeth dwl ar ei ôl.

"Dwn i'm pam ti'n cwyno cymint ... dio'm yn ddiwedd y byd. Ella brynith John Ferrari i chdi!"

"Ti'm yn dallt, Llin. Mi fydd 'na hen fytheirio rŵan. Ti'n gwbod sut ma rhai yn capal yn melltithio'r loteri."

"Os oes 'na rwbath yn eu penna nhw mi fyddan nhw'n falch dros John a Meinir. Mi geith Catrin fynd i America am driniaeth rŵan."

Bu bron i Rhys gael ei demtio i ddweud wrth Llinos am ei awydd ddechrau'r wythnos i godi pac a gadael Llanaber a'r weinidogaeth, ond cyn iddo gael cyfle i agor ei geg rhoddodd Llinos gusan ar ei foch, cydio yn ei fraich a dweud yn ddistaw, "Tyd, mi bryna i *chips* i chdi."

Er gwactha saga'r Is-bwyllgor, roedd Rhys yn dechrau ymlacio eto ac felly, yn nodweddiadol ohono, penderfynodd nad oedd am ddifetha'r foment. Gyda'r haul yn machlud, ymlwybrodd y tri'n araf i gyfeiriad y siop chips.

Chysgodd Rhys fawr ddim y noson honno, ac erbyn hanner awr wedi chwech roedd wedi laru ar droi a throsi felly penderfynodd godi i ddarllen dros ei bregeth.

Rwtsh! Rwtsh! Rwtsh! Ocê, dwi'n gwybod na fydda i byth yn

bregethwr mawr, ond dyma'r sothach mwya diflas i mi ei
sgwennu ers dechra yn y lle 'ma – a dwi mond 'di darllen y
ddau baragraff cynta. Be 'na i duda – ailwampio hen un, neu
gymryd risg a gobeithio ma ryw ddeg neu ddeuddeg fydd yno?
Twt. Gân nhw hon. Fydd eu hanner nhw'n cysgu cyn y bregeth
ei hun, a 'sa'r gweddill yn canmol hyd yn oed taswn i'n darllen
canlyniada ffwtbol ddoe iddyn nhw.

Er gwaethaf ymdrechion Llinos i leddfu ei bryderon, roedd
digwyddiadau'r pwyllgor y noson gynt yn parhau i bwyso ar
feddwl Rhys. Gwyddai'n iawn am agwedd rhai pobl tuag at y
loteri. Ddeunaw mis ynghynt bu bron i aelod o'r capel fod y
cyntaf i gael ei ddienyddio yn Llanaber am awgrymu y dylid
gwneud cais i'r loteri am aildarmacio llwybr y fynwent. Aeth
Olwen Organ i dop caetsh wrth glywed y ffasiwn beth, gan
ddatgan yn y seiat ganlynol bod y loteri'n un o'r pechodau
mwyaf i wynebu dynoliaeth yn yr oes fodern. Roedd hi'n ei
hystyried cyn waethed â lladd neu odinebu. Er nad oedd nifer
o'r aelodau eraill yn rhannu ei safbwynt eithafol, llwyddodd
Olwen i bwyso ar ei ffrindiau a threchwyd y cynnig yn
unfrydol yng nghyfarfod y blaenoriaid. Byth ers hynny, roedd
Rhys yn eithriadol o ofalus wrth fynd i Siop Huws ar bnawn
Sadwrn, gan guddio ei rifau'n gelfydd rhwng cloriau'r
Goleuad. Wedi i Huws ddeall pam fod y gweinidog mor
ofalus, cytunodd i weithredu'n dawel ac yn ddiffwdan ar ei
ran.

Roedd Rhys ar fin tywallt sudd oren iddo'i hun pan ganodd
y ffôn. Deg munud i saith. Gan amlaf, dim ond ymgymerwyr
neu deulu'r ymadawedig fyddai'n ffonio mor fore â hyn, ac am
hanner eiliad gobeithiai Rhys mai rhywun oedd yn cysylltu i
ddweud bod Brenda Bic wedi marw'n sydyn yn ystod oriau
mân y bore. Cododd y ffôn.

"Haia, Catrin sy 'ma, ti'n ocê?"

Gwenodd Rhys wrth glywed ei llais.

"Ydw, ddim yn ddrwg 'sti, a titha?"

"Iawn 'de. Jest isio diolch i ti am helpu fi efo'r rhifa

neithiwr."

"'Nes i'm byd."

"Do siŵr! Tasat ti'm 'di dod acw diwrnod o'r blaen a chwara *Scrabble* efo fi 'swn i'm 'di dewis y rhifa yna. Dwi 'di deud wrth Mam awn ni *halves* hefo ti os ti isio."

Dychmygodd Rhys wyneb Olwen Organ tasa fo'n cymryd arno'i hun i darmacio llwybr y fynwent efo'r pres. Er y demtasiwn, penderfynodd mai gwell fyddai gwrthod.

"Diolch i ti am gynnig, ond dwi isio i chdi gadw'r arian 'na i gyd i chdi dy hun – ar gyfer cal mynd i America."

"Ocê, ond ddo i â phresant yn ôl i ti. Gwranda, dwi'm yn dod i'r Ysgol Sul heddiw, 'dan ni'n mynd i Gaerdydd peth cynta bora fory. Ma Mam isio gair ... Ta-ta."

A chyn i Rhys gael cyfle i ffarwelio â Catrin, roedd hi wedi mynd. Daeth llais Meinir i'w glyw.

"Sori ffonio chdi mor fuan, ond roedd Catrin isio deud diolch. Ma hi'n effro ers awr ac wedi swnian yn ddi-baid am gael dod draw, ond ddudis i dy fod ti'n paratoi ar gyfer capal. Ond oedd hi'n mynnu dy ffonio."

"Dim problem. Gwranda, Meinir, dwi'n falch iawn drosoch chi fel teulu, ti'n gwybod hynny dwyt? Ond alli di neud ffafr enfawr efo fi? Alli di gadw'r ffaith mod i wedi helpu Catrin i ddewis y rhifa'n dawel? Do'n i ddim yn sylweddoli mai dyna o'n i'n ei wneud a deud y gwir!"

"Iawn, Rhys, mi wna i 'ngora."

"Diolch i ti. Beryg 'sa rhai yn lle 'ma'n tynnu gwynab."

"Ia, ddudodd John bod y Brenda 'na'n edrych fel tasa hi 'di ista ar ddraenog neithiwr. Oedd o'n poeni wedyn falla ei fod o wedi dy ollwng di ynddi braidd."

"Deud 'tha fo am boeni dim, ond 'sa'n well gin i gadw'r peth yn ddistaw os yn bosib."

"Dim problem. Reit, well i mi fynd i drio cadw trefn ar yr hogan 'ma. Ma hi 'di weindio'n lân, a dim ond gobeithio na fydd y siwrne i Gaerdydd yn ormod iddi. Wela i chdi'n fuan."

"Ia, iawn, a Meinir?"

"Ia?"

"Llongyfarchiada i chi'ch tri."

Wrth gerdded tuag at y pulpud ychydig oriau'n ddiweddarach, sylwodd Rhys fod ei flaenores gydwybodol yn syllu'n oeraidd arno, a thrwy gydol ei bregeth bu Brenda'n ochneidio'n uchel ac yn edrych ar ei horiawr. Wedi'r oedfa, ceisiodd dynnu sgwrs â hi am y tywydd, ond trodd Brenda ar ei hunion gan ddefnyddio'r porc yn y popty fel esgus tila dros adael yn ddiymdroi. Prin y dywedodd neb yr un gair wrtho, ac eithrio Robin.

"'Dach chi'n iawn y bore 'ma, Mr Roberts?"

"Ydw, Robin, diolch i chi am ofyn."

"Dipyn o berfformans gin y mecanic 'na neithiwr."

"Wel, oedd, fe allech chi ddweud hynny …!"

"'Swn i'm yn poeni gormod am y peth taswn i'n chi; ma petha lot gwaeth yn digwydd yn yr hen fyd 'ma, 'chi. Buan y chwythith y cyfan heibio."

Ac wedi gwasgu braich Rhys aeth Robin am y drws gan adael arogl grawnffrwyth a dwy dafell o fara wedi'u treulio ar ei ôl.

Aeth gweddill y Sul rhagddo'n ddigon diffwdan, a mentrodd Rhys feddwl efallai bod Robin Rhech yn llygad ei le. Mater o amser a byddai'r cyfan yn angof.

Y nos Wener ganlynol, gwenai Rhys yn ddigon bodlon wrth gwblhau'r broses o ailgylchu pregeth arall ar gyfer y Sul, a phenderfynodd dreulio gweddill y noson yn gwylio gêm bêl-droed rhwng Lerpwl ac Aston Villa ar y bocs. Gydag Angel yn prysur lwyddo i wneud ffŵl o Cisse a'i griw, canodd y ffôn. Rhegodd Rhys dan ei wynt. Fel roedd y peiriant ateb yn dechrau'i sbîl, penderfynodd y galwr beidio â gadael neges a rhoi'r ffôn i lawr. Gwenodd Rhys – roedd yn gas ganddo gael ei styrbio yn ystod gêmau pêl-droed – ond buan y diflannodd ei wên pan ganodd ei ffôn symudol. Edrychodd ar y sgrin fach a phenderfynu mai gwell oedd ei ateb.

"Gobeithio fod gen ti reswm da dros ffonio, Llin."

"Ti'n gwylio S4C?"

"A Lerpwl ar Sky? Be *ti*'n feddwl?"

"Well ti droi at S4C reit handi."

"Pam? Pwy sy 'di marw?"

"Jest newidia'r sianel, brysia ..."

Ebychodd Rhys yn anfodlon wrth newid y sianel fel roedd Cisse'n rhedeg i lawr yr asgell, ond gwenodd eto wrth weld yr olygfa newydd o'i flaen. Yn ei ffrog binc orau a chyda'i chap *'No. 1 Babe'* ar ei phen, roedd Catrin yn cael ei dallu gan fflachiadau'r camerâu wrth i aelodau'r wasg geisio dal y foment pan drosglwyddodd Robbie Williams siec o dair miliwn a hanner o bunnoedd i John a Meinir. Roedd Rhys ar fin newid yn ôl i'r gêm bêl-droed pan glywodd lais John yn egluro sut y byddai'r pres yn galluogi i'w ferch fynd i America mewn ymgais i gael triniaeth lwyddiannus. Chwarae teg iddo, roedd John yn amlwg yn gwneud ymdrech fwriadol i siarad ei Gymraeg gorau, ac er bod ychydig o gryndod nerfus yn ei lais ni allai Rhys lai na'i edmygu am hepgor y rhegfeydd oedd yn britho'i sgwrs arferol. Yn anffodus, tro Rhys oedd hi i regi pan ddatganodd John wrth Dewi Llwyd a'r byd mai "Catrin fach ei hun, gyda chymorth y gweinidog lleol, Rhys Roberts, ddewisodd y rhifa."

"Blydi hel! Be ddiawl oedd isio iddo fo ddeud ffasiwn beth a finna 'di gofyn i Meinir ..."

Ceisiodd Llinos roi gwedd gadarnhaol i'r cyfan.

"Ei ffordd o o ddweud diolch i ti ydi hyn, Rhys. 'Di o ond yn iawn dy fod ti'n cael bach o glod. Falla gei di *promotion* gin y Methodistiaid."

Yn anffodus, doedd Rhys ddim yn gwerthfawrogi ei hymgais at ysgafnhau'r sefyllfa, ac roedd ar fin dweud hynny wrthi pan ganodd y ffôn arall eto. Yn y cefndir, gallai glywed llais ei fam yn gorfoleddu bod ei hannwyl fab wedi cael mensh gan Dewi Llwyd, ac yn gobeithio ei fod yn mynd i gael rhan sylweddol o'r enillion. Prin bod llais ei fam wedi tewi pan ganodd y ffôn unwaith yn rhagor. Trodd Rhys ei sylw nôl at ei fobeil.

"Gwranda, Llin, ti'n meindio os daw Panty a fi draw ata chdi heno?"

'GOOD GOD: IT'S YOU!'

Ochneidiodd Rhys wrth weld pennawd y *Daily Mirror*, gyda llun o fys mawr Duw yn pwyntio at Catrin.

Gwyddai cyn codi y byddai'r stori'n bla yn y papurau, a gofynnodd i Llinos fynd draw i Siop Huws i brynu copïau iddo. Wrth sbecian yn frysiog drwy'r papurau trymion a'r *tabloids*, gwelai Rhys ei enw'n frith hyd y tudalennau. Taflodd y cyfan i'r naill ochr a cheisio canolbwyntio ar ei frecwast.

Daeth seiniau 'Gloria Ty'd Adra' i ben ar y radio a chlywodd Rhys llais Heledd Siôn yn datgan ei bod yn wyth o'r gloch cyn iddi fynd yn ei blaen i adrodd penawdau'r dydd. O leiaf doedd y stori ddim wedi'i chynnwys yn y bwletin, ond buan y diflannodd optimistiaeth Rhys wrth i Catrin Beard fynd ati i drafod cynnwys y papurau. Gyda balchder dywedodd yr adolygwraig bengoch mai tri pheth oedd yn mynd â bryd y *tabloids*, ill tri'n ymwneud â Chymru – cariad newydd Charlotte Church, dafad ddeg stôn a ganfuwyd rywle yng Ngheredigion a gweinidog Llanaber a'i allu i ddarogan rhifau'r loteri. Diffoddodd Rhys y set radio cyn iddi allu ymhelaethu.

Wedi cael cawod a newid, magodd Rhys ddigon o hyder i droi ei fobeil ymlaen, a chafodd wybod ei fod wedi derbyn tri deg chwech o alwadau ers hanner awr wedi wyth neithiwr. Rhegodd. Dechrcuodd y ddynes fecanyddol ar ei llith arferol o restru'r gwahanol opsiynau, a phwysodd Rhys y botwm i ddileu'r cyfan. Trueni na allai wneud yr un peth efo pawb.

Cynigiodd Llinos y câi aros yn ei thŷ hi drwy'r dydd pe bai'n dymuno, ond penderfynodd Rhys y byddai'n rhaid iddo ddychwelyd i'r tŷ capel rywbryd, felly cydiodd yn nhennyn Panty ac anelu am y drws. Trwy lwc roedd yn pigo bwrw a doedd fawr o neb ar hyd strydoedd y dref wrth i Rhys gerdded yn frysiog i gyfeiriad ei gartref.

Hei, dwi isio Dy help Di efo chydig o positive thinking *bore 'ma. Wedi'r cwbwl, tydw i'm 'di gneud affliw o ddim o'i le, naddo? Ma Catrin yn cal mynd i America, ac mi all John a Meinir ymddeol cyn iddyn nhw fod yn ddeugain – ddylia pobl fod yn falch. Ti'm yn cytuno?*

Wrth iddo droi heibio'r Swan, sylwodd ar y criw oedd wedi ymgasglu ger giât y capel. *Damia uffar.* Trodd un ohonyn nhw a sylweddoli ar unwaith pwy oedd yn dod i'w cyfarfod, a dyna ddechrau ar ras y newyddiadurwyr. Y cwbl y gallai Rhys ei weld oedd clwstwr o feicroffonau'n anelu'n syth amdano a llu o gwestiynau o bob cyfeiriad yn dod i'w canlyn. Cydiodd yn dynnach yn nhennyn Panty a chyflymu'i gerddediad, gan wthio'i ffordd drwy'r rhengoedd.

Rhoddodd glep ar y drws ac edrych ar Panty. Roedd y creadur yn dioddef o gryd cymalau ers cwpwl o flynyddoedd, ac roedd wedi llwyr ymlâdd ar ôl stryffaglu heibio i'r hacs busneslyd. Plygodd Rhys i fwytho'r *terrier*, ond yn sydyn agorwyd y blwch llythyrau a gwelodd resaid o ddannedd melyn yn agor ac yn cau.

"Sut deimlad ydi bod yn broffwyd, Mr Roberts?"

Mae'n rhaid fod Panty wedi synhwyro nad oedd Rhys yn rhy hoff o'r ymyrraeth, oherwydd er ei gloffni fe ruthrodd at y drws gan gyfarth fel rhywbeth dwl. Cafodd perchennog y dannedd melyn lond twll o ofn, a chaewyd y blwch llythyrau'n glep.

"Da'r hogyn! Dangos di iddyn nhw pwy 'di'r bòs, Panty."

Aeth Rhys ati i gau'r llenni a datgysylltu'r ffôn yn y wal, ond canai cloch y tŷ'n ddi-baid. Doedd dim amdani ond chwilio am *headphones*, rhoi'r *stereo* ymlaen a diflannu i fyd arall. O fewn ychydig eiliadau nid yn lolfa tŷ capel Llanaber yr oedd Rhys ond ar lwyfan yn Wembley Arena, yn chwarae gitâr o flaen torf enfawr – a phawb yno'n ei addoli a'i annog i chwarae'n gyflymach ac yn gyflymach. Roedd hyn yn ddihangfa fendigedig, pawb yn clapio, pawb yn mwynhau a Rhys yn eu cyfareddu efo'i gerddoriaeth.

Roedd wrthi'n ailchwarae'r riff yng nghanol 'Highway to Hell' AC/DC pan ddigwyddodd agor ei lygaid. Safai Llinos a Gresyn yno yn syllu'n gegrwth arno. Am eiliad edrychodd y tri ar ei gilydd, yr un ohonynt yn gwybod sut i ddechrau'r sgwrs, ond wedi i Rhys roi'i gitâr awyr i gadw yn ei bocedi penderfynodd y dylai ddweud rhywbeth.

"Doedd dim posib cael munud o lonydd … felly dries i wrando … ar 'bach o gerddoriaeth."

Dechreuodd Llinos chwerthin, ond mae'n amlwg nad oedd Gresyn yn llawn werthfawrogi'r grefft o chwarae'r gitâr awyr, a pharhaodd yntau i edrych mor surbwch ag erioed.

"Dwi wedi cael gair efo rhai o'r blaenoriaid ac ma nhw'n awyddus i drefnu cyfarfod gyda chi, a hynny cyn gynted â phosib."

"Dim problem. Pa bryd sy'n gyfleus i chi? Dechra wsnos nesa?"

"Gwell i ni gyfarfod heno am hanner awr wedi saith."

"Beth os fydd y criw tu allan yn dal yno?"

"Gawn ni gyfarfod yn y tŷ acw – gawn ni fwy o lonydd yn y fan honno gobeithio. Ond gwnewch yn siŵr nad ydyn nhw'n eich dilyn chi – tydw i'm isio pob rafin hyd y stryd 'cw."

Ar hynny, cerddodd Gresyn allan o'r tŷ, a gallai Llinos a Rhys ei glywed yn datgan gydag awdurdod *"No comment. No comment"* wrth iddo wthio heibio'r criw tu allan.

"Ers pryd oeddach chi 'di bod yn sefyll yn fan'na?"

"Ychydig funuda."

"Pam ddiawl 'sat ti 'di gweiddi neu rwbath?"

"Mi 'nes i, ond oeddach chdi'n rhy brysur yn dynwared Angus Young."

"Grêt. Wel, tydi o'm yn cymryd lot o ddychymyg i feddwl beth fydd testun y cyfarfod heno."

"Dwn i'm, falla gei di syrpreis. Falla gynigian nhw wersi gitâr i ti."

Pam roist Ti'r ddawn i Llinos ddeud one-liners *gwell na fi?*
O ia, do'n i'm yn meddwl llawar o Dy gyfraniad Di i fy sesiwn

Positive Thinking – *ydw i wedi dy bechu Di rywsut? Ydw i wir wedi gneud rhywbeth mawr o'i le efo'r busnes loteri 'ma? Dwn i'm os wyt Ti a fi yn deall ein gilydd weithia, wir ...*

Edrychodd Rhys ar y blaenoriaid yn eistedd mewn hanner cylch o'i flaen yn ystafell fyw Gresyn a chafodd y teimlad ei fod wedi lladd dwsin o bobl yn hytrach na chael sgwrs gartrefol efo merch saith mlwydd oed. Roedd Brenda Bic wedi dyrchafu'i hun o fod yn ysgrifennydd i fod yn gadeirydd y blaenoriaid, ac yn ymhyfrydu yn y dasg o grynhoi digwyddiadau'r dyddiau diwethaf. Wrth wrando arni'n traethu fel petai hi'n yr Old Bailey, cofiodd Rhys fel yr arferai wylio *Crown Court* yn y pnawniau pan oedd yn iau. Roedd Brenda'n rhoi cystal perfformiad ag unrhyw actor a welsai yn y gyfres honno erioed.

Ti'm yn meddwl basa'n syniad i mi brynu wig mawr llwyd a chlorian i hon Dolig? Sbia arni, mae hi yn ei helfen – well i Nic Parry fod yn ofalus, achos os ydi hon yn cario mlaen fel hyn mi fydd y cradur bach allan o waith cyn hir.

"Dudwch i mi, Mr Roberts, ar y pnawn dan sylw oeddach chi'm yn sylweddoli ei bod hi'n anghyfreithlon i berson dan un ar bymtheg wneud y loteri?"

"Faint o weithia sydd raid i mi ddeud, Brenda? Nid trafod rhifa loteri oedda ni, ond trafod dyddiada pen blwydd ac ati. Chafodd y gair loteri ddim hyd yn oed ei grybwyll. Cyd-ddigwyddiad llwyr oedd hi bod John wedi picio i mewn i'r lolfa ar y ffor i'r dre a gofyn i Catrin ddewis chwe rhif."

"'Da chi wir yn disgwyl i ni gredu mai dyna ddigwyddodd, Mr Roberts?"

"Wel, 'dio fawr o ots gen i be 'dach chi'n goelio, Brenda, dyna ddigwyddodd, iawn?"

"Dwi'n siŵr eich bod chitha, fel y gweddill ohonom yn yr ystafell hon, yn awyddus ein bod yn mynd at wraidd y mater yma a'n bod ni'n ymwybodol o'r holl ffeithiau."

"Am be 'dach chi'n fwydro rŵan?"

"Er nad ydi o'n uniongyrchol berthnasol i'r digwyddiad sydd dan sylw gennym yma heno, dwi'n credu ei fod yn gwestiwn cwbl allweddol i'w ofyn. Ydi gamblo wedi chwarae rhan bwysig yn eich gorffennol? Neu gadewch i mi ei roi mewn ffordd arall i chi. Ydych chi wedi cael triniaeth arbenigol i geisio rheoli'r awydd i gamblo?"

"Brenda, be haru chi ddynas?" meddai Robin, yn amlwg yn teimlo fod Brenda yn mynd dros ben llestri.

"Na, Robin, diolch i ti, ond alla i ateb ei chwestiynau hi fy hun. 'Na' ydi'r ateb i'r ddau gwestiwn, eich Mawrhydi."

"Does dim angen bod yn glyfar. Dim ond ceisio canfod y gwir, yr holl wir a dim ond y gwir 'dan ni'n drio'i wneud, Mr Roberts."

Wedi hanner awr arall o geisio eu hargyhoeddi ei fod yn gwbl ddi-euog, mylliodd Rhys a sefyll ar ei draed.

"Ylwch, dwi wedi laru ar y nonsens yma. Mae'n amlwg bod y mater hwn wedi achosi lot o boen meddwl i chi, a'ch bod chi'n teimlo bod enw da Soar wedi'i bardduo o'm hachos i, felly'r peth gora i bawb ydi mod i'n ymddiswyddo."

Pan ynganodd Rhys y gair 'ymddiswyddo' bu bron i Brenda golli ei dannedd gosod, gymaint oedd ei sioc. Ar y naill law ymhyfrydai yn y ffaith bod ei sgiliau croesholi wedi cael y fath effaith ar y 'diffynnydd', ond ar y llaw arall doedd hi ddim cweit wedi disgwyl y byddai'r canlyniad mor eithafol. Wedi i'r blaenoriaid gael cyfle i gael eu gwynt atynt bu rhyw fwmian siarad rhyngddynt cyn i Gresyn glirio'i wddw a mynd ati i siarad fel tasa 'na bum cant yn gwrando arno.

"Gresyn yw'ch clywed yn ymateb mor gryf, Mr Roberts. Fel y gwyddoch, nid ydi'r mwyafrif ohonom yn cefnogi'r loteri na'r egwyddor o gamblo, ond yn sicr toeddan ni ddim yn disgwyl i chi ymateb mor eithafol i'n trafodaeth ynghylch eich camgymeriad mympwyol, annoeth chi."

"Taswn i wedi rhoi mil o bunnoedd ar geffyl neu wedi mynd i gamblo mewn casino falla 'swn i'n dallt eich pryderon, ond y cwbl 'nes i oedd chwara *Scrabble* efo Catrin am ddeg munud.

Chi sy'n gneud môr a mynydd o betha, a dwi wedi cael llond bol. Dwi'n mynd, a dyna'i diwedd hi. Nos da."

Ar hynny trodd Rhys a mynd am y drws, ond clywodd lais Brenda'n dweud yn gwbl glinigaidd:

"Mi ydan ni'n fwy na balch eich bod wedi penderfynu ymddiswyddo, Mr Roberts, ond os ydach chi'n cofio darllen y cytundeb arwyddoch chi pan ddaru chi gyrradd yma mi fyddwch chi'n gwybod bod raid i chi roi tri mis o notis i swyddogion y capel. Felly dwi'n cymryd na fyddwch chi'n ffarwelio â ni nes bydd y cyfnod hwnnw wedi dod i ben."

Cafodd Rhys ysfa i droi at Brenda a chodi dau fys arni ond penderfynodd beidio â rhoi'r pleser iddi o wybod ei bod wedi'i wylltio felly gwenodd a chydsynio yn gwrtais i'w geiriau. Mentrodd Brenda Bic ei lwc ymhellach.

"Un peth arall, Mr Roberts. Er mwyn rhoi cyfle i'r blaenoriaid allu ystyried y cam nesaf o safbwynt penodi'ch olynydd, mi fydden ni'n gwerthfawrogi petaech chi'n cadw'ch ymddiswyddiad yn ddistaw am ychydig wythnosau."

Nodiodd Rhys i ddangos ei fod yn cytuno i'w chais a chaeodd ddrws y festri'n dawel ar ei ôl.

Blydi hel, dwi wedi'i wneud o! Dwi wedi'i wneud o! Dwi'n rhydd! Stwffio nhw. Gresyn a Bic a'r cwbwl lot ohonyn nhw. Dwi'n mynd i neud rwbath efo 'mywyd o'r diwedd. Dwi'n rhydd! Dwi'n rhydd! O shit, be dwi'n mynd i ddeud wrth Llinos? Mae hi'n siŵr o strancio, crio a gweiddi, y jòb lot. Sdim pwynt panicio, tydi panicio ddim yn mynd i helpu'r sefyllfa. Ocê, ocê, be dduda i wrthi, duda? Wel, yn Dy flaen, Ti am fy helpu fi? Os chwaraean ni'n cardia'n iawn mi fydd gen i yrfa newydd a Chditha was bach ffresh yn Llanaber. Sut ma hyn yn swnio i Chdi: 'Gwranda Llin, ti'n gwbod be oedd dy nain yn arfer ddeud, bod hi'n deffro bob dydd ac yn edrych ymlaen at sialens newydd ... Na, tydi hynna'n da i ddim. 'Llin, ti'n cofio ti'n deud yn coleg 'sat ti'n licio mynd i Seland Newydd, wel dwi wedi bod yn meddwl ...' Mae hynna'n well opsiwn, ond sut dwi'n mynd i berswadio hi i roi gora i'w swydd a gadal y lle 'ma?

Penderfynodd fynd i'r Swan i ystyried y mater ymhellach ac i geisio magu bach o hyder.

"Peint o Guinness a *whisky chaser*, plîs, Vinnie."

"Cadwa dy bres, bryna i'r rownd 'ma."

Edrychodd Rhys i'r chwith a gweld John yn eistedd ar ei ben ei hun yng nghanol mwg *Golden Virginia*. Daeth draw at y bar ac ysgwyd llaw Rhys fel tasa nhw heb weld ei gilydd ers blynyddoedd.

"Yn fan hyn mae *millionaire* Llanaber yn cuddio heno 'ma 'lly?"

"Aye, Rhys …"

"Ti'n iawn?"

"Well o beth cythral na chdi. Ti'n edrych yn *shit*."

Yn amlwg, roedd John yn gredwr cryf mewn siarad plaen, ond o leia roedd o'n fwy gonest na'r criw roedd Rhys newydd ei adael draw yn nhŷ Gresyn. Cafodd Rhys ei demtio i adrodd digwyddiadau'r noson wrtho, ond gan nad oedd wedi trafod y mater gyda Llinos, penderfynodd mai gwell fyddai cadw'n dawel. P'run bynnag, ofnai y byddai John yn mynd i dŷ Gresyn a rhoi coblyn o gweir i bob un o'r blaenoriaid. Aeth y ddau i eistedd wrth y bwrdd bach yn ymyl y ffenast a chodi gwydryn yn enw Catrin. Edrychodd John i fyw llygaid Rhys.

"Dwi'n sori am landio chdi yn y cach. Dim unwaith, ond ddwywaith."

"Mae'n iawn, John, sdim …"

"Na, Rhys, tydi o *ddim* yn iawn, a ges i *bollocking* go iawn gin Meins am neud. Ond o'n i mor nyrfys efo'r cameras ac o'n i'n *concentratio* mor galad ar beidio rhegi, o'n i'm yn gwbod be o'n i'n ddeud. Ma'r boi Dewi Llwyd 'na'n *good bloke*, ond oedd o'n holi gymint o betha i fi, ddaru dy enw di jyst slipio allan. Sori."

"Mae'r peth wedi mynd rŵan, anghofia amdano."

"Ti'n *star,* ti'n gwbod hynny?"

"Ddaru chi fwynhau Caerdydd?"

"Grêt, pawb yn rili neis ar wahân i'r Robbie Williams 'na. Oedd Catrin yn meddwl 'i fod o'n *cool*, ond oedd o'n llgadu Meinir drw'r adeg, a ma gynno fo lais *crap*."

O ganlyniad i ffraethineb John, buan yr anghofiodd Rhys am Gresyn a'i griw, a llithrodd y Guinness i lawr y lôn goch yn eithriadol o rwydd.

Agorodd Rhys ei lygaid yn araf. Gallai deimlo ryw forthwyl anferth yn cnocio y tu mewn i'w benglog ac roedd ei geg fel tin camel o sych. Edrychodd i gyfeiriad y tri chloc ar y silff ben tân, ond doedd dim bys ar yr un ohonynt; cofiodd fod ganddo oriawr ar ei arddwrn, a chyda chryn drafferth daeth i'r casgliad un ai ei bod yn hanner awr wedi wyth neu'n ugain munud i chwech. Rhedodd ei dafod hyd ei wefusau mewn ymgais i'w gwlychu, ond yn ofer. Yn raddol, cofiodd amdano fo a John yn yfed dyblars Jack Daniels yn y Swan, ac yna'n sydyn teimlodd rywbeth yn teithio gan milltir yr awr o'i berfedd i gyfeiriad ei lwnc. Rhedodd yn boenus o araf am y tŷ bach.

Roedd o wrthi'n chwydu am y pedwerydd tro pan glywodd ddrws ffrynt y tŷ capel yn agor ac yna'n cau'n glep. Gallai ddarogan hwyliau Llinos yn ôl natur y glep a'r cyfarchiad. Roedd tri math o gyfarchiad. 'Haia!' llawen yn golygu fod pob dim yn tsiampion. 'Rhys!' yn dalfyriad o 'Lle wyt ti, mae gin i rywbeth i'w ddweud wrthat ti', ac yn olaf, dim gair o gyfarchiad. Roedd hynny'n arwydd fod y Trydydd Rhyfel Byd ar fin cychwyn. Fel yr ofnai, y trydydd opsiwn a fabwysiadodd Llinos wrth gyrraedd heddiw, a bron nad oedd waliau'r tŷ yn crynu o ganlyniad i nerth y glep ar y drws. Taflodd Rhys ddŵr oer dros ei wyneb mewn ymgais i ddeffro'n iawn ac aeth lawr y grisiau.

"Haia Llin ... Paid â dod rhy agos, dwi wedi cal coblyn o ddôs o annwyd."

"Annwyd o ddiawl! Glywis i dy fod ti wedi bod yn yfad yn y Swan tan oria mân y bora a bod John a chditha 'di deffro hanner y dre 'ma efo'ch fersiwn answyddogol o 'Calon Lân'."

Cofiodd Rhys am y ddau ohonynt yn defnyddio *cones* oren a gwyn y cyngor fel meicroffons tra'n aralleirio'r emyn, a chafodd ei demtio i wenu, ond roedd y morthwylio y tu cefn i'w lygaid yn dal i olygu fod unrhyw symudiad efo'r geg yn eithriadol o boenus.

"Be gythral oeddach chdi'n neud yn yfad mor hwyr a hithau'n Sul heddiw? Ti'n cwyno digon bod Bic a Gresyn ar dy gefn di drw'r adeg, wel be arall ti'n disgwl i'r craduriaid neud a chditha'n mynd allan i feddwi'n dwll a gneud ffŵl ohonat ti dy hun? Ma isio mynadd efo chdi weithia."

"Oedd John a finna'n meddwl dylian ni ddathlu eu bod nhw wedi ennill y loteri."

"Dathlu o ddiawl. Arhosis i fyny nes ei bod yn un o'r gloch y bora'n disgwl i chdi ffonio neu alw. Driais i dy fobeil di dwn i'm faint o weithia ..."

"Sori, o'n i 'di adal o'n *chargio* yn y gegin."

"'Nes ti'm meddwl am eiliad falla mod i'n poeni amdana chdi, mod i isio gwbod sut aeth hi yn nhŷ Gresyn?"

Pan glywodd Llinos yn ynganu enw Hari, cofiodd Rhys ei fod wedi ymddiswyddo ac y byddai'n ddi-waith mewn llai na thri mis. Bingo! Dyna'r rheswm pam yr aeth i'r Swan yn y lle cyntaf, i gael 'bach o hyder cyn wynebu Llinos.

"Gwranda Llin, falla dylia chdi wybod ..."

"Y byddi di'n ddi-waith mewn tri mis?"

"Sut ddiawl ti'n gwbod?"

"Ffoniodd Robin acw neithiwr i ofyn os oeddach chdi'n iawn."

"Olreit, sdim isio i chdi weiddi cymint."

"Dwi'm 'di dechra gweiddi eto'r crinc."

Dechreuodd Llinos fynd ar garlam ac roedd yn amlwg ei bod wedi ymarfer ei haraith drwy'r nos. Roedd ei monolog diddiwedd ymhlith y mwya blin a glywodd Rhys ganddi ers iddynt ddechrau canlyn. Defnyddiodd nifer o ansoddeiriau na fyddai'r mwyafrif yn eu cysylltu gydag athrawes ysgol gynradd barchus fel rheol, a phe bai Rhys ag angen rhagor o dystiolaeth i brofi mor ddig oedd ei gariad, gallai weld ei chlustiau'n mynd i fyny ac i lawr wrth i'w cheg a'i gên symud mor gyflym.

Nefi, oes rhaid iddi bregethu gymint? Alli Di weld bod hon yn hogan i'w mam, yn galli? Am dempar! Lats bach, mae'n ddiddiwedd. Pam adawis Di i fi yfad gymint yn y Swan neithiwr? Lle oeddat Ti na 'nes Di atgoffa fi fod hi'n Sul heddiw? A sgin Ti'm rhywbeth gwell i gynnig at hangover *na'r Andrews rwtsh 'ma?*

Pan oedd Llinos mewn hwyliau o'r fath, gwyddai Rhys mai'r peth callaf i wneud oedd gadael iddi barablu ymlaen a gorffen ei llith. Unwaith iddi garthu ei hanniddigrwydd o'i system, doedd gan Rhys ddim mo'r nerth na'r awydd i ddadlau'i achos, ond yn fwy na dim gwyddai yn ei galon fod Llinos yn llygad ei lle. Roedd o'n gythreulig o lwcus ohoni, ac nid oedd yntau'n dda iawn am fynegi hynny'n ddigon aml. Roedd yn chwilio am y geiriau gorau i ymddiheuro wrthi pan ddiflannodd Llinos i fyny'r grisiau gan gyboli ei bod angen mynd i'r tŷ bach. Gwyddai Rhys mai mynd yno i grio yr oedd hi go iawn. Syllodd drwy'r ffenestr wrth glywed ei thraed yn taro'r grisiau fel gordd.

Yn sydyn, clywodd Rhys sgrech o gyfeiriad y toiled, cyn i Llinos weiddi:

"Mae 'na ddarna o foron a *sweetcorn* ar y blydi sêt toilet 'ma!"

Caeodd Rhys ei lygaid.

Plîs Dduw, ga i bum munud i gysgu?

Er gwaetha'r ffaith ei fod yn teimlo'n sâl fel ci ac eisiau cysgu'n ddirfawr, roedd Rhys yn gwbl benderfynol y dylai fentro i bregethu. Dychmygai Gresyn yn gwenu'n hunanfoddhaus wrth feddwl ei fod yn cadw draw'n fwriadol yn dilyn ei ymddiswyddiad. Yfodd bum cwpaned o goffi du, ac er ei fod wedi glanhau'i ddannedd am ddeg munud soled daliai i flasu'r Jack Daniels yn ei geg wrth iddo gerdded i mewn i ystafell y blaenoriaid. Tra oedd yn yr ystafell, prin y cododd ei ben, a phenderfynodd nad oedd diben gweddïo gan y byddai erfyn am heddwch a harmoni yng Nghymru a thu hwnt ychydig yn rhagrithiol a dweud y lleiaf.

Rhoddodd fint arall yn ei geg ac agorodd y drws a oedd yn arwain i gorff y capel. Cafodd sioc o weld yr olygfa o'i flaen. Fel arfer, dwsin fyddai'n ei wynebu, ond heddiw roedd y ffigwr yn nes at hanner cant, gydag ambell un o'r wasg yn eu plith.

Wow rŵan, be ma'r holl bobl 'ma yn da 'ma? Oes 'na ryfal 'di dechra? Tydi'm yn ddydd Sul sbeshial nac'di? Taswn i'n gwbod fod cymint â hyn am fod yma, 'swn i 'di trio chwilio am bregath well na'r hen beth dwy flwydd oed 'ma.

Stryffaglodd Rhys i arwain y gwasanaeth, ac roedd yng nghanol darllen rhan o ail bennod llyfr Ioan pan dreiddiodd blas Jack Daniels hyd ei weflau, ac fe'i atgoffwyd o'r rheswm am ei feddwad y noson gynt.

Be dwi'n neud yn fan hyn? Pam mod i'n fan'ma yn hefru mlaen am droi'r dŵr yn win? Ti a fi'n gwybod nad ydw i'n mynd i fod yma mewn tri mis, ond does 'na 'run o'r rhain yn gwybod hynny. Ti'n meddwl dyliwn i ddeud tha nhw? Ynta cau 'ngheg 'sa ora duda? Be Ti'n feddwl ddyliwn i neud? Twt, be sgin i i golli 'de?

"Ylwch, anghofiwch am y wyrth 'na am funud … ma gin i rwbath arall dwi isio'i ddeud 'tha chi. Oni bai bod chi 'di bod ar y lleuad yr wythnos diwetha 'ma, mi fyddwch chi'n gwbod am y miri loteri 'ma. Ma'n amlwg bod rhai o'r blaenoriaid yn teimlo'n flin iawn am y peth, ac yn meddwl mod i wedi creu embaras i'r capel hwn a'i swyddogion. Dyna'r peth ola o'n i'n drio'i neud, ac os ydi rhai pobl wedi'u brifo o ganlyniad i'r holl sylw sydd wedi'i roi i'r mater, yna dwi'n ymddiheuro o waelod calon.

"Mewn cyfarfod gyda'r blaenoriaid neithiwr, mi gafodd y mater ei drafod hyd at syrffed, ac yn y diwedd, mi gynigis i'n ymddiswyddiad … ac fe'i derbyniwyd yn handi ar y naw. Ond i chi gal dallt, tydw i'n difaru dim am sgwrsio efo Catrin, a 'swn i'n licio meddwl tasa Iesu Grist yn yr un sefyllfa y bydda fynta yr un mor barod i chwara *Scrabble* efo'r beth fach. Reit 'ta, dyna hynna drosodd. Anghofiwn ni am yr emyn ola, gewch chi fynd adra rŵan. Diolch yn fawr."

Ac eithrio dau neu dri hac newyddiadurol oedd wedi'i heglu hi i gysylltu â'u golygyddion i adrodd y newyddion syfrdanol bod Iesu Grist yn ffan o'r loteri, doedd neb arall o'r gynulleidfa'n symud modfedd, dim ond syllu mewn anghredinedd ar eu gweinidog. Penderfynodd Rhys fod yn rhaid iddo ef gymryd y cam cyntaf, felly llamodd o'r pulpud a cherddded am y drws cefn. Wedi perfformiad o'r fath doedd dim diben iddo ddilyn y drefn arferol a mynd at y brif fynedfa i ysgwyd llaw gyda'r mynychwyr. Roedd ar fin mynd nôl i'r tŷ, pan gafodd ei ddal gan ddau Americanwr oedd wedi bod yn eistedd yng nghefn y capel yn ystod y gwasanaeth.

"That was a pretty cool sermon, sir."

"Did you understand any of it?"

"No, but it sounded good to me. And the singing was pretty fine too."

"Thank you. It's nice of you to say so."

"We heard that you were the famous preacher that helped that little girl, so we wanted to see for ourselves if the rumours were true. And they sure are, we were mighty impressed with your preaching skills, everybody was in awe, you could have heard a pin drop at the end."

"I'm afraid I'm in rather a hurry … if you'll excuse me …"

"We're actually here on holiday. But it's a working holiday. We've come to north Wales to find our roots."

"Well I wish you well."

"You don't happen to know of a family called Jones who used to live in the vicinity in the nineteenth century do you?"

Ochneidiodd Rhys cyn troi'n ôl ac awgrymu'n garedig wrthynt efallai na fyddai mis cweit yn ddigon iddynt ganfod eu cyndeidiau. Cafodd y tri sgwrs fer ddigon dymunol, gyda'r ymwelwyr yn frwd dros gyfrannu i goffrau Soar, yn y gobaith y byddai caredigrwydd o'r fath yn sicrhau cefnogaeth y Bod Mawr i'r broses o olrhain eu hachau. Fel roedd Rhys yn ffarwelio â'r ddau, daeth Gresyn allan o ystafell y blaenoriaid a gwnaeth ei orau glas i anwybyddu'r gweinidog, ond roedd Rhys yn gwbl benderfynol nad oedd am gael ei ffordd.

"Hari, cyn i chi gwblhau'r cyfri am heddiw, well i chi gal hon."

Rhoddodd Rhys siec yr Americanwyr i Gresyn. Am y tro cyntaf ers blynyddoedd maith, gwelodd Rhys wên yn lledu dros wyneb y trysorydd wrth iddo weld y swm o bum cant o bunnoedd yn y blwch bach ar y siec.

"George a Maria Evans o Galiffornia. Ma nhw yma am fis yn ymchwilio i hanes eu cyndeidiau. 'Di penderfynu dod i'r gwasanaeth ar ôl darllen am y miri loteri 'na. Oeddan nhw'n deud pa mor falch oeddan nhw am Catrin."

A chyda'r ergyd honno wedi'i hanelu a'i thanio'n gelfydd, aeth Rhys am y tŷ capel. Roedd wedi llwyddo i osod ei drysorydd yn ei le; y gamp rŵan oedd ceisio cymodi efo Llinos.

Yli, os w't Ti dal i siarad efo fi ar ôl gynna, 'swn i'n medru gneud efo ombach o dy help Di rŵan – plîs?

Roedd Rhys yn ysu am gael cymodi ac yn fwy na pharod i ddisgyn ar ei fai, ond cafodd ei siomi. Roedd nodyn ar fwrdd y gegin yn llawysgrifen ddestlus Llinos yn dweud ei bod wedi mynd draw at ei mam a'i thad i gael cinio dydd Sul. Gwyddai Llinos yn iawn na fyddai Rhys yn mentro cysylltu gyda hi yng nghartref ei rhieni. Doedd pethau ddim yn dda rhwng ei mam ac yntau ar y gorau, ac unwaith iddi ddechrau amau ei fod wedi ypsetio ei hogan fach, gwyddai Rhys na fyddai dim yn rhoi mwy o bleser iddi na rhoi swadan iddo efo'r rhifyn cyfredol o *Y Wawr*.

Fydd Frau Himmler am fy ngwaed i rŵan hefyd – grêt. Jyst be dwi angen. Pwy uffar ddudodd bod dydd Sul yn ddiwrnod o orffwys?

Crys, tri phâr o sanau a dau bâr o drôns. Doedd cês Rhys ddim chwarter llawn, ac eto dyna'r cwbl o ddillad glân oedd ganddo yn y cwpwrdd. Ei fwriad oedd taflu ambell ddilledyn i'w fag a diflannu i rywle mor fuan â phosibl. Doedd o ddim yn gwbl sicr i lle'n union roedd am fynd, ond gwyddai fod arno angen dianc o Lanaber am ychydig ddyddiau. Roedd popeth yn digwydd yn rhy gyflym iddo ac roedd arno angen camu allan o'r miri a cheisio cael trefn ar ei fywyd. Roedd hynny'n ddigon o dasg ynddo'i hun, ond roedd gwneud hynny gyda dim ond dau bâr o drôns wrth gefn yn dasg amhosib.

O fewn wythnos iddynt ddechrau canlyn, roedd Llinos wedi datgan yn gwbl glir na fyddai hi'n golchi nac yn smwddio'i ddillad, ac er i Rhys feddwl mai chwiw ffeministaidd golegol oedd yn gyfrifol am ei safiad, glynodd hithau'n gwbl ddigyfaddawd at ei phenderfyniad.

O ganlyniad, Meri Daz oedd yn cael y fraint o olchi dillad gweinidog Soar ers yr wythnos gyntaf iddo gyrraedd Llanaber. Galwai'n ddeddfol am hanner awr wedi chwech bob nos Wener i gasglu'r dillad a byddai'n eu dychwelyd am hanner awr wedi naw fore Llun yn lân ac, yn bwysicach yng ngolwg Rhys, wedi'u smwddio'n ddestlus gyda phob plyg yn berffaith, hyd yn oed y tronsiau a'r llieiniau sychu llestri.

"Meri Defis, ma'n ddrwg gin i'ch trwblo chi amser cinio fel hyn. Rhys sy 'ma."

"Rhys pwy?"

Gwyddai Rhys yn ôl tôn y llais bod tempar arni. Am eiliad cafodd ei demtio i ddynwared llais rhywun arall ac ymddiheuro ei fod wedi cael y rhif anghywir, ond gwyddai na fyddai'r ddau bâr o drôns yn para dim iddo.

"Rhys y gweinidog."

"Argol, ma'n rhaid eich bod chi'n telepathig, Rhys bach. Sôn amdanach chi o'n i rŵan."

Roedd dipyn mwy o anwyldeb yn perthyn i'r llais erbyn

hyn, ond pan glywodd Rhys y gair 'telepathig' ofnai mai'i ymddiswyddiad fyddai testun eu sgwrs, felly penderfynodd hepgor y mân siarad.

"Gwrandwch, Mrs Defis, ryw feddwl o'n i, 'dach chi'm 'di digwydd gorffen smwddio 'nillad i wsnos yma, ydach chi?"

Aeth y llinell yn drybeilig o ddistaw, i'r fath raddau fel bod Rhys yn dechrau amau fod Daz wedi rhoi'r ffôn i lawr.

"Mrs Defis, 'dach chi'n dal yna?"

"Ydw, Rhys, newydd jecio'r calendr ydw i, i neud yn siŵr mod i'm yn drysu."

"Ia, wn i mai ar fore Llun 'dach chi'n dod â 'nillad i draw fel rheol, ond ma 'na rwbath 'di codi'n sydyn a dwi angen chydig o grysa, wel, a 'nillad isa hefyd a deud y gwir."

"Yr hen flaenoriaid 'na sy 'di'ch styrbio chi 'de?"

"Be? Naci, ddim o gwbl."

"Alla i ddeud ar eich llais chi. Dyna o'n i'n ei drafod efo Dafydd bach rŵan. Deud bod golwg ddigon peth'ma arnoch chi yn y pulpud gynna, a'r hen sarff Hari Evans 'na'n ista yn y sêt fawr yn bwysig i gyd – yr hen ddiawl hyll iddo fo. Sori, wn i ddyliwn i ddim rhegi, yn enwedig efo gweinidog, ond licis i rioed mo'r crinc uffar."

Rhagwelai Rhys y gallai'r sgwrs barhau am oriau, ond cyn iddo gael cyfle i'w dirwyn hi i ben daeth ergyd annisgwyl o ben arall y lein.

"Ylwch, rhowch ddeg munud i mi a fydda i draw yna."

"Na, na, sdim isio chi, mi ddo i ..."

Ond cyn i Rhys allu cynnig gyrru draw i rif 45 High Street i nôl ei ddillad, roedd Meri Daz wedi rhoi'r ffôn i lawr. *Damia! Damia! Damia!* Y peth ola roedd Rhys ei eisiau oedd ymweliad ganddi. Roedd hi'n halen y ddaear ac yn smwddwraig heb ei hail, ond roedd hi'n siarad yn ddi-baid.

Y cam nesaf oedd cysylltu efo Wil Annibýn i ofyn iddo a fyddai'n fodlon cymryd yr awenau yng ngwasanaeth yr hwyr. Er fod Wil yn ei saithdegau hwyr ac wedi hen ymddeol o'i ofalaeth yn ardal Aberystwyth, roedd wrth ei fodd yn cael tynnu'i goler wen o'r cwpwrdd eto, a chan ei fod yntau'n gefnogwr selog o Lerpwl gwyddai Rhys ei fod yn ei blesio'n arw wrth godi'r ffôn a chychwyn y sgwrs gyda'r geiriau: 'Sut 'sa *super-sub* yr Annibýns yn licio achub y dydd unwaith yn rhagor?'

Gyda'i ferch bellach yn byw'n yr Alban, roedd Wil ar y ffôn am awr bob dydd Sul rhwng deuddeg ac un o'r gloch, ac o ganlyniad dyna lle roedd Rhys yn cydio'n ddiamynedd yn nerbynnydd y ffôn, ac yn melltithio'r ddynes â'r llais mecanyddol oedd yn awgrymu y dylai drio ffonio'r rhif yn nes ymlaen, pan ddaeth cnoc ar y drws. Gwyddai ef a Panty pwy oedd berchen y gnoc nerthol honno a throdd y ci am y fasged yn y stydi fyny grisia. Doedd y *terrier* a Meri Daz fawr o ffrindia ers iddi hi lanhau ei flanced goch a'i rhoi yn y *tumble dryer* nes ei bod yn debycach i hances boced na blanced.

"Helô Meri, dewch i mewn …"

"Sbiwch arnach chi, 'dach chi'n edrych fel tasach chi'n byta gwellt eich gwely! Ydach chi 'di byta o gwbl heddiw 'ma?"

Cerddodd Meri i mewn i'r ystafell fyw fel corwynt, a sylwodd Rhys nad oedd unrhyw olwg o drôns na chrys yn unman. Ei unig obaith oedd bod ei gŵr yn stryffaglu gyda'r bag du, ond doedd dim golwg ohono'n nunlle wrth i Rhys gau'r drws.

"Ydi Mr Defis 'di dod efo chi?"

"Nac'di, oedd Dafydd bach isio gwylio *Crwydro* efo Amanda Protheroe-Thomas ar es ffôr si *digital*. Meddyliwch, dyn yn ei oed a'i amser yn gwirioni ar ryw lefran sy'n ddigon ifanc i fod yn wyres iddo – tydi hi'n goesa ac yn fronna i gyd, dudwch?"

'Dafydd bach' oedd Meri'n galw'i gŵr, gwerthwr hufen iâ yn yr ardal, ac er nad oedd yn fach iawn o ran corff, mewn cymhariaeth â'i wraig roedd fel matsien o denau. Wrth weld Meri'n cyrraedd yn waglaw, gwyddai Rhys fod pregeth yn ei aros.

"Reit 'ta, dwi isio gwbod be'n union sy wedi bod yn mynd

47

mlaen yn stafell y blaenoriaid 'na."

Y peth ola roedd Rhys ei angen y funud honno oedd post-mortem ar ddigwyddiadau'r dyddiau diwethaf, ond cyn iddo geisio dweud yn gwrtais wrth Meri nad oedd am drafod y mater, cychwynnodd ei ymwelydd ar ei sbîl.

"Be sy'n bod ar bobl yn gneud môr a mynydd o'r peth? Ma isio iddyn nhw sbio ar be sy'n digwydd yn yr hen fyd 'ma … pobl yn lladd ei gilydd ac erill yn llwgu, a be mae'n blaenoriaid ni yn ei wneud? Tynnu blydi gwynab am eich bod chi wedi digwydd helpu Catrin fach. Fedran nhw ddim gweld be sy o flaen eu trwynau nhw – ma 'ngenath i'n cal mynd i America. OBE 'dach chi'n haeddu, Rhys bach, nid cal eich hambygio fel hyn."

Teimlai Rhys yn fyr ei wynt wrth wrando arni'n siarad fel melin bupur. Ofnai y byddai Meri'n llewygu wrth siarad mor gyflym ac y byddai'n rhaid iddo yntau roi cusan bywyd iddi. Gorfododd ei ddychymyg i stopio yn y fan a'r lle – roedd posibilrwydd o'r fath yn ei ddychryn.

"Ac ma'n hen bryd i rywun ddeud wrth y Brenda Walters 'na hefyd. Hi sydd wedi dechrau'r nonsens 'ma o fynnu bod chi'n gorod rhoi gora iddi, 'de?"

"Wel …"

"Ia, o'n i'n gwbod. Fotis i ddim i'r gloman, o'n i'n gwbod basa fo'n mynd i'w phen hi, ac o'n i'n iawn hefyd, do'n?"

"Wel …"

"Ia, dwi'n gwbod allwch chi ddim deud hynny, chwara teg i chi. Gweinidog ydach chi, tyda chi'm yn cal deud dim drwg am neb. Ond ma'n iawn i *mi* ddeud. A tra mod i'n deud fy mhwt, dduda i rwbath arall wrthach chi. Nid Daz ma hi'n ddefnyddio ond powdr golchi mêc Spar ei hun. Twt, tydi hwnnw ddim gwerth cach … wel, 'da chi'n dallt be sgin i."

Er ei bod yn parablu ymlaen, roedd Rhys yn hynod o falch ei bod mor bleidiol a chefnogol iddo. Bu'r dyddiau diwethaf yn rhai digon anodd, a tasa fo'n gwbl onest, yr hyn oedd wedi ei siomi yn fwy na dim oedd y ffaith nad oedd neb o blith aelodau

Soar i weld yn malio'r un ffeuen amdano. O leia fe lwyddodd ymweliad Meri i wrthbrofi hynny.

"Fuodd Ann a Gwyneth Thomas a fi'n sgwrsio ar ôl y gwasanaeth bore 'ma, a ma'r dair ohonan ni wedi penderfynu ei bod hi'n hen bryd i rywun ddeud wrth y Brenda 'na bod neb yn 'i licio hi . . ."

"Dwi'm yn meddwl ..."

"Waeth i chi heb ddim, dwi wedi penderfynu. 'Dach chi'm yn berffaith, ond pwy sy 'de? A 'dach chi'n well o beth coblyn na'r rhan fwya o'r petha 'ma sy'n dod yma i bregethu – ma 'na rywfaint o sbarc yn perthyn i chi, ac o leia mae ganddoch chi'ch dannedd eich hun, a tydach chi'm ar fin cal teligram gan y Cwîn."

"Dwi'n gwerthfawrogi'ch geiria chi, Meri, ond ..."

"Isio dillad glân i chi gael 'i heglu hi o'ma oeddach chi 'te? Wel gewch chi anghofio'r syniad gwirion hwnnw. Gynnoch chi ddau bâr o drons glân neith bara chydig ddiwrnoda i chi. Gyda lwc fydd petha 'di sadio erbyn hynny, a Brenda 'di gweld sens am unwaith. 'Na ni, dwi 'di cal deud fy neud, adawa i chi rŵan, wela i chi'n fuan. Ta-ta."

Ar hynny, diflannodd Meri Daz mor gyflym ag y cyrhaeddodd, gan adael Rhys i bendroni ynghylch ei geiriau. Go brin y gallai fynd yn bell iawn ar ddau bâr o drons. Doedd dim amdani felly ond gadael *super-sub* yr Annibýns ar y fainc a mynd i'r atig i chwilio am hen bregeth o'i eiddo'i hun.

Er mai gwasanaeth gyda'r hwyr oedd hwn, roedd oddeutu deugain yn y gynulleidfa, ond prin y gallai Rhys ganolbwyntio ar ei bregeth. Roedd cur pen y bore wedi cilio, ond edrychai ar ei oriawr bob pum munud gan geisio dyfalu a oedd Llinos wedi dychwelyd o'r *Third Reich* neu beidio. Torrodd ar draws Gresyn a'i gyhoeddiadau, a rhuthro drwy'i bregeth. Roedd wedi'i heglu hi o'r pulpud ac yn anelu am dŷ Llinos cyn i fysedd Olwen Organ orffen taro'r nodyn i ddynodi'r '-men' yn 'Amen'.

Mae'r golau mlaen – haleliwia. Plîs, plîs, plîs helpa fi yn ystod y pum munud nesa, plîs.

Bu'n cnocio ar y drws am sbel, ond pan sylweddolodd nad oedd hi am ateb defnyddiodd ei oriad a cherdded i mewn.

"Haia ..." *Help* ... "Ti'n ôl ..." *Pam na ddudith hi rwbath?* "Dwi'n falch ..." *Dwi 'di anghofio'n araith, helpa fi gofio be oedd y frawddeg gynta.* "'Nes di'm clywed fi'n cnocio?"

"Do, ond o'n i'n ryw ama mai chdi oedd yno."

"Sut oedd dy dad a dy fam?"

"Grêt."

"A'r byji?"

"Blydi hel, Rhys, rho'r gora i'r malu cachu 'ma."

"Yli, dwi'n gwbod ddyliwn i fod wedi dod draw yn syth ar ôl bod yn nhŷ Gresyn neithiwr, neu dy ffonio di o leia, ond o'n i'm yn gwbod sut i ddeud 'tha chdi. Oedd ofn arna i, reit?"

Ddywedodd Llinos yr un gair, dim ond parhau i ddarllen erthygl hynod o ddifyr ar berthynas Chris Evans a Billy Piper yn *OK!*

"Oeddwn i ofn achos dwi'n gwbod dy fod ti'n hapus yn y lle 'ma, a dy fod wrth dy fodd yn yr ysgol, ond dwi 'di laru braidd ar y lle, dwi 'di ..."

"Rhys, gwranda arna chdi dy hun, 'dwi, dwi, dwi'. 'Nes di rioed styriad gofyn be o'n i'n feddwl, be 'swn i 'di ddeud tasa ni 'di digwydd trafod y peth efo'n gilydd, fel ma cypla normal yn ei neud? Naddo siŵr; cwbl 'nes di oedd gneud penderfyniad ac i'r diawl â fi. Wel, ma hynny'n iawn, ond os nad ydw i yn rhan o dy gynllunia di 'wyrach bod hi'n well bod chdi'n mynd o'ma. Caria di mlaen, Rhys. Mwynha dy hun, diolch am bob dim, gad y goriad ar y bwr' ar dy ffor allan."

"Llin …"

"Paid ti â dechra efo dy blydi 'Llin'. Dos."

Ar hynny martsiodd Llinos am y drws ffrynt, ond cyn iddi gael cyfle i'w agor rhedodd Rhys ar ei hôl, a gwthio'i hun rhyngddi hi a'r drws.

"Llinos, gad i fi egluro. Dwi rili yn sori – wir i ti, do'n i'm wedi bwriadu ymddiswyddo. Bic a Gresyn ddaru 'ngwylltio fi, ti'n gwbod fel ma nhw'n pigo, pigo bob munud a dwi inna mor ddiamynedd. 'Swn i byth yn gneud penderfyniad mor fawr â hynny cyn trafod y peth efo chdi'n gynta."

"Braidd yn hwyr i ddeud hynna rŵan tydi?"

"Wn i. Sori. Dwi'n gwbod mod i'n anobeithiol."

"A blydi dwl – 'nes di'm meddwl am un funud mai dyna'n union oedda nhw isio i chdi neud?"

"Dwi'n gwbod. Sori."

Ni symudodd yr un ohonynt, dim ond syllu i fyw llygaid ei gilydd.

"Be dwi'n mynd i neud, Llin?"

"Pam ti'n gofyn i fi?"

"Achos mod i'n dy garu di, Llin."

"Pan mae o'n dy siwtio di."

"Tydi hynna ddim yn wir, a ti'n gwbod hynna."

"Ti isio gadal Llanaber, Rhys?"

"Dwn i'm, ond dwi'm isio i ni'n dau orffan."

"Nagoes?"

"Nagoes siŵr Dduw. Yli, oeddan ni'n dau wastad yn deud cymint oeddan ni isio mynd i Seland Newydd, a falla ma …"

"Blynyddoedd yn ôl, pan oedda ni'n coleg. Allwn ni ddim gneud petha fel'na rŵan. 'Dan ni'n rhy hen …"

"Tyda ni byth yn rhy hen."

"Dwi'n hapus yma, Rhys – 'swn i'n torri 'nghalon 'swn i'n gorfod gadal."

"Fydd raid i mi chwilio am rwbath arall yn yr ardal 'ta."

"Duda wrth y blaenoriaid dy fod ti wedi newid dy feddwl."

"Chymra nhw byth fi'n nôl, ti'n gwbod hynna gystal â fi."

"Wel sgin ti'm lot o ddewis felly, nagoes?"

"Be?"

"Fydd raid i chdi ddod draw i fyw ata i."

"Ddudis di 'sat ti byth yn medru byw efo fi drw'r adeg ..."

"Fydd raid i chdi gadw'r lle 'ma'n daclus, neu yrra i chdi i'r sièd."

"Be ddudith dy fam, a dy dad?"

"Gad ti'r ddau yna i fi."

"Dwi'n dy garu di, hogan, a 'swn i byth yn medru byw hebdda chdi."

"Paid â dechra crafu – unwaith i ti ffeindio joban arall fydd raid i chdi dalu rhent."

"Faint?"

"Ffortiwn."

Gwelodd Rhys gysgod hanner gwên yn croesi hyd wyneb Llinos ac fe'i cusanodd, yn dyner ac yna'n nwydus. Tra bod selogion Soar yn ymlwybro'n araf o'r capel bu i ambell un gwyno fod y gweinidog wedi'i heglu hi o'r capel mor ddisymwth, ond doedd hynny'n poeni dim ar Rhys y foment honno. Roedd o'n rhy brysur yn ceisio ennill maddeuant ei gariad.

Y diwrnod canlynol, 'Jesus Loves Lotto' oedd pennawd bras *The Sun*. Neilltuwyd bron i ddwy dudalen a hanner o'r papur i'r stori, gan awgrymu pa rifau y byddai Iesu yn eu dewis pe bai'n prynu tocyn loteri. Awgrymwyd tri, oherwydd mai dyna nifer y doethion a roddodd ei anrhegion Nadolig cyntaf iddo; pump, gan mai dyna faint o filoedd a lwyddodd i'w bwydo gyda physgod a bara; deg, oherwydd mai dyna faint o reolau roedd ei dad wedi'u rhoi'n ordors i Moses; un ar ddeg, o gofio nifer ei ddisgyblion – doedd y papur ddim yn ystyried Jiwdas yn ddigon cymwys i'w gyfrif; tri deg tri, gan mai dyna ei oed pan fuodd farw, yn ôl yr arbenigwyr p'run bynnag; ac, yn olaf, deugain, sef y nifer o ddyddiau y bu yn yr anialwch. Ar ddiwedd yr erthygl argraffwyd rhif ffôn a chyfeiriad e-bost fel y gallai'r darllenwyr gynnig eu hawgrymiadau eu hunain. Gyda gwleidyddiaeth yn profi'n faes mor hesb a diflas i'r wasg, roedd anerchiadau a phregethau y Parchedig Rhys Roberts yn profi'n llawer mwy atyniadol a phoblogaidd.

Er ei fod yn sefyll yn y pulpud bob wythnos, doedd Rhys yn fawr o berson cyhoeddus, ac felly pan ffoniodd ymchwilydd o Radio Cymru i ofyn a fyddai'n fodlon cael ei gyf-weld ar *Y Post Cyntaf* drannoeth, doedd ganddo fawr o awydd.

"Mae'n rhaid i chdi neud," meddai Llinos, "petai ond er mwyn i chdi gael cyfle i ddweud yn union be ddigwyddodd."

"Ia, ond sgin i'm mynadd efo'r cyfrynga ..."

"Yli, os 'nei di'r cyfweliad yma, gei di lonydd wedyn, a gei di anghofio bob dim am yr holl fusnas."

"Ti'n gwbod sut ma Garry Owen, wastad yn trio neud jôc o bob dim ..."

"Jyst bydd yn agorad a gonast ac mi fyddi di'n iawn."

Yn ôl yr arfer, Llinos enillodd y ddadl, ac felly y bu. Gosododd Rhys ei gloc larwm am chwarter wedi saith a ffoniodd yr ymchwilydd yn ôl ei haddewid yn brydlon am chwarter i wyth. Cafodd wybod nad y clown annwyl pen moel oedd yn holi, ond *rottweiler* Llanrwst, Iolo ap Dafydd, ac er iddo ddechrau gydag ambell i gwestiwn digon caled, roedd yn ddigon cwrtais a theg. Do, fe ddywedodd o'r pulpud y byddai Iesu Grist wedi helpu Catrin i ddewis rhifau'r loteri, ond wrth gwrs siarad yn ddamcaniaethol yr oedd o, nid datgan bod Iesu'n gamblwr heb ei ail. Na, doedd o ddim yn credu ei fod wedi creu rhwyg o fewn yr enwad, a na doedd o ddim yn credu bod digwyddiad o'r fath yn golygu fod Methodistiaid bellach yn gefnogol i'r egwyddor o gamblo. Oedd, roedd yn hynod o falch bod Catrin fach yn cael mynd i America am driniaeth, a phe bai sefyllfa debyg yn codi yn y dyfodol byddai'n gwneud yn union yr un peth eto. Na, doedd ganddo ddim clem beth fyddai'n ei wneud unwaith iddo gwblhau'i gyfnod yng nghapel Soar, ond edrychai ymlaen at gael hoe fach cyn penderfynu ar y cam nesaf.

Rhoddodd Rhys y derbynnydd yn ôl yn ei le gan deimlo'n reit falch ohono'i hun, a diolchodd i Llinos am ei berswadio i wneud y cyfweliad. Gwenodd hithau fel giât wrth iddi'i bryfocio ynglŷn â 'phwy sydd wastad yn iawn' a phe bai ond yn gwrando ychydig yn fwy arni hi, byddai'i fywyd yn llawer rhwyddach. Wrthi'n rhannu cusanau blas *Frosties* yr oedd y ddau pan ganodd y ffôn.

"Pam ddiawl 'sat ti'm 'di deud wrtha i bod chdi ar y radio?"

"Dim ond yn hwyr neithiwr ges i wybod fy hun. O'n i'n meddwl ei bod hi'n rhy hwyr i mi'ch ffonio chi …"

Rhyfeddai Rhys pa mor rhwydd y gallai'u rhaffu nhw, ond mae'n amlwg nad oedd ei fam yn ei gredu. Ei phrif gŵyn oedd bod Meri Huws drws nesa wedi'i ffonio'n smala i gyd i ddweud bod ei mab wedi siarad yn dda iawn ar y radio. Er eu bod yn gyfeillion pennaf ac yn gymdogion hynod driw i'w gilydd, roedd elfen o gystadleuaeth rhwng y ddwy, ac roedd ei fam o'i cho ei bod yn brwsio'i dannedd gosod dan y tap yn ystod y cyfweliad. Aeth yn ei blaen i gwyno sut y bu i Meri Huws gael modd i fyw yn dweud wrthi *mor* dda oedd Rhys, ac mai ei chyngor hithau iddo oedd ei fod wedi gwneud y peth iawn yn gadael y weinidogaeth ac y dylai ystyried dechrau gyrfa ym myd y cyfryngau.

Mae'n amlwg nad Meri Huws oedd yr unig un oedd wedi gwrando'n astud ar y cyfweliad, achos yn dilyn *Y Post Cyntaf* ffoniodd rhywun o Ros-lan i gael gair efo Jonsi, gan ganmol Rhys i'r entrychion am helpu'r 'hogan fach', a datgan y dylai pen-bandits y Methodistiaid ei ddyrchafu'n sant yn hytrach na rhoi'r sac iddo. Doedd Jonsi na Radio Cymru erioed wedi profi ymateb o'r fath. O fewn awr bu raid i'r ymchwilwyr ddelio gyda bron i fil a hanner o alwadau – gyda thri-chwarter ohonynt yn gefnogol i Rhys. Roedd cynrychiolydd o'r gorfforaeth nôl ar y ffôn cyn deg yn gofyn a fyddai Rhys yn cytuno i gymryd rhan yn y rhaglen *Taro'r Post*. Roedd un cyfweliad y dydd yn fwy na digon i Rhys, ac fe geisiodd ei orau glas i osgoi cyfrannu i'r rhaglen amser cinio; fe aeth mor bell â dweud bod yn rhaid iddo wasanaethu yng nghynhebrwng John Davies, a'r creadur hwnnw'n cerdded heibio i ffenestr y tŷ capel gyda'i Flymo wrth ei ochr, yn iach fel cneuen. Roedd Rhys ar fin rhoi'r ffôn i lawr ar yr ymchwilydd pan glywodd yr hyn a'i argyhoeddodd mai da o beth fyddai gwneud y cyfweliad wedi'r cwbl: "Gan fod Dylan Jones ar ei wyliau, Eleri Siôn fydd yn cyflwyno. Roedd hi wedi edrych ymlaen at gael sgwrs efo chi …"

Doedd gan Rhys ddim diddordeb mewn rygbi – yn wir, doedd ganddo ddim clem beth oedd y gwahaniaeth rhwng swyddogaeth prop pen tyn a maswr – ond pan oedd Eleri Siôn yn sylwebu cymerai ddiddordeb ysol yn y gêm. Yn sydyn, teimlodd Rhys ei bod yn ddyletswydd arno i gytuno i wneud y cyfweliad.

Am yr ychydig eiliadau cychwynnol cafodd drafferth canolbwyntio, ond unwaith iddo ddygymod â'r ffaith ei fod yn siarad gydag Eleri Siôn aeth y cyfweliad rhagddo yn ddigon rhwydd. Wedi pum munud o holi hamddenol, penderfynwyd rhoi cyfle i'r gwrandawyr gysylltu a holi Rhys yn uniongyrchol. Nid oedd yr ymchwilydd wedi sôn am hyn o gwbl wrth Rhys, felly ystyriodd leisio'i brotest, ond gwyddai ei fod yn fyw ar y radio, ac y gallai cwyno'n ormodol adlewyrchu'n wael arno, felly taw oedd piau hi.

"Ar y lein nawr ma 'da ni Mrs Jones o Landeilo. Beth yw'ch cwestiwn chi i'r Parchedig Rhys Roberts, Mrs Jones?"

"Pnawn da, Leri. Moyn gwbod wyf fi a roiodd Duw unrhyw arwydd i chi pa rifau fyddai'n dod lan?"

"Wel, yn syml iawn, naddo, achos sgwrs gwbl anffurfiol oedd hi rhyngtha i a Catrin – pen blwyddi a ballu oeddan ni'n drafod, yn hytrach na rhifa penodol."

"Wel whare teg i chi grwt – chi'n swno'n fachan teidi iawn i fi."

"Nawr at y galwr nesaf – Mr Phillips o Fronwydd."

"Sdim cwestiwn 'da fi – ond o'n i jest moyn gweud bo fi ffaelu dyall pam yffach ma'r holl ffŷs hyn. Ma gweinidog yn yr ardal hyn yn defnyddio casgliad wythnosol y capel i fynd i'r bwcis ar y Sadwrn canlynol. Mae e'n rhoi'r cyfan ar ddou neu dri ceffyl – a sneb o'r aelode yn becso dam. So'r gog Roberts hyn 'di neud dim o'i le 'sech chi'n gofyn i fi. Ta beth, gaf i weud helô 'tho Anti Mei sy'n *ninety* wthnos ..."

"Yn anffodus, Mr Phillips, ma raid i fi stopo chi man 'na achos ma'r llinellau'n fishi ofnadw a ma 'da ni Miss Lewis o Frynsiencyn ar y lein. Beth yw'ch sylw neu'ch cwestiwn chi i Mr Roberts?"

"Tydw i ddim isio siarad efo'r gweinidog achos dwi'n meddwl ei bod hi'n gwbl warthus ei fod o wedi'n pardduo ni sy'n Gristnogion go iawn. Mae o wedi llusgo crefydd yng Nghymru drwy'r mwd gyda'i weithredoedd pechadurus. Ar ôl beth mae o wedi'i wneud mi ddylai gal ei chwipio a'i lusgo hyd strydoedd y gogledd 'ma'n noethlymyn, cyn cael ei labyddio'n gyhoeddus."

"So chi'n credu mewn maddeuant, Miss Lewis?"

"Tydi rhywun fel Mr Roberts ddim yn haeddu maddeuant."

"Reit 'te, ewn ni nawr i Ben Llŷn, ac at Mr Ellis o Fynytho. Shwt y'ch chi, Mr Ellis?"

"Yn well ar ôl clywed eich llais chi, Miss Siôn."

"Wel whare teg i chi, a beth yw'ch cwestiwn chi i Mr Roberts?"

"Pwy? Na, isio deud pa mor wael ydi prisia gwartheg godro y dyddia hyn ydw i. Dwi wir yn credu y dylai ffarmwrs gal mwy o *grants*, a tasa pobl ond yn stopio rhoi pres i'r loteri ac yn ei roi i'r ffarmwrs ..."

Ac eithrio ambell un fel Mr Ellis a Miss Lewis, roedd y mwyafrif helaeth o'r gwrandawyr yn eithriadol o gefnogol i Rhys. Awr a hanner yn ddiweddarach bu raid i Eleri Siôn ddirwyn yr holi i ben, a diolchodd i Rhys am ei amynedd a'i broff-esiynoldeb, gan ddweud ei bod wedi mwynhau gwneud y rhaglen gydag ef. Mynegodd ei chydymdeimlad tuag at deulu John Davies, gan obeithio na fyddent ddim dicach o gladdu'r ymadawedig ychydig yn hwyrach.

Er ei fod wedi llwyr ymlâdd, roedd canmoliaeth o'r fath gan Eleri Siôn yn ddigon i roi gwên lydan ar wep Rhys, a dyna lle roedd o'n eistedd yn ddigon hunanfodlon yn y gegin pan ddaeth cnoc ar y drws ffrynt. Safai John Davies yno, ei *overalls* yn wair i gyd a *headphones* o amgylch ei wddw. Edrychai'n drybeilig o welw.

"Ydach chi'n iawn, John Davies?" holodd Rhys yn bryderus.

"Ydw ... dwi'n meddwl ... dim ond picio draw i ddweud pa mor dda oeddach chi ar y radio ... ond oes 'na rywbeth ddyliwn i gal gwbod, dudwch?"

Roedd Rhys yng nghanol snogio Halle Berry pan ddeffrwyd ef yn gwbl ddiseremoni gan gnoc ar y drws ffrynt. Agorodd un llygad a chraffu ar y cloc larwm wrth ochr ei wely. Wyth o'r gloch. Penderfynodd droi a cheisio anwybyddu'r sŵn, ond rhwng bod Panty'n cyfarth fel rhywbeth gwyllt, a'r cnocio'n ddiddiwedd, doedd dim amdani ond codi o'r gwely cynnes.

"Bore da, Rhys bach, glywis i chi ar y radio echdoe, oeddach chi'n ffantastig. Jyst y peth. A sbiwch be dwi wedi'i gael."

A chyn i Rhys allu ffocysu'n iawn, roedd Meri Daz wedi martsio i mewn i'r ystafell fyw, tynnu'i chardigan a gwenu fel giât wrth ddangos crys-t du gyda llun mawr ohono yn y canol. Ar y cefn roedd y geiriau 'Gweinidog Gorau Cymru' mewn print bras melyn.

"Wel, be 'dach chi'n feddwl?"

"Lle goblyn gafoch chi lun ohona i?"

"Gadwis i gopi o'r cyfweliad naethoch chi i *Llais y Llan* pan ddaru chi gyrradd yma am y tro cynta. Biti 'sa gin i gamera rŵan, 'swn i'n medru cal llun o'r coesa bach del 'na sgynnoch chi hefyd."

Teimlodd Rhys yn ddigon annifyr wrth i Meri wenu'n awgrymog arno tra'n syllu ar ei goesau robin goch, gwyn. Aeth i'r gegin er mwyn osgoi'r llygadrythu, gan ddweud yn eithaf pigog:

"Gymrwch chi banad? Neu fasa'n well gynnoch chi gael brecwast?"

"Brecwast? Argol, dwi wedi cael hwnnw ers awr a hanner; ma gynnon ni waith trefnu i neud, Rhys bach."

Ochneidiodd Rhys yn drwm wrth estyn am y *Frosties*. Roedd Meri'n parablu am y 'sguthan Brenda 'na', a phan aeth Rhys yn ôl i'r ystafell fyw gwelodd ei bod yn rhoi sbectol am ei thrwyn ac yn estyn am glamp o *clipboard* a beiro o'i bag.

"Rŵan 'ta, os ydan ni o ddifri am gnocio 'bach o sens i ben y Brenda wirion 'na, ma rhaid i ni gal ymgyrch a strategaeth o'r cychwyn cyntaf. Dwi'n cymryd eich bod chi'n fodlon i mi fod yng ngofal eich ymgyrch?"

"Ymgyrch?"

"Ia, dwi'n credu mewn gneud petha'n iawn a dwi'n benderfynol nad ydi hi a'i siort yn mynd i gael eich hel chi allan o Lanaber."

"Ylwch, Meri, dwi'n gwerthfawrogi be 'dach chi'n neud, ond wir i chi, dwi'n meddwl ..."

"Dyna'n drwg ni'r Cymry, Rhys bach, 'dan ni'n meddwl gormod a ddim yn gweithredu hanner digon. Dwi'n cofio'r boi bach eiddil 'na yn deud yr union yr un peth pan oedd o'n cael ei arestio bob yn ail funud adag y frwydr i gal S4C."

"Pwy?"

"Ffranc, neu Ffred be 'dach chi'n galw fo, hwnnw oedd wastad yn edrych yn llwyd, gwisgo'n flêr a golwg heb shefio ers deuddydd arno. Cymraeg da iawn gynno fo hefyd, er ei fod o'n dueddol o fynd mlaen a mlaen weithia."

"Ffred Ffransis 'dach chi'n feddwl?"

"Ia, hwnnw. Ma'n dda bod gynno fo ddim lisb neu 'sa'n ddrwg ar y cradur."

Cyn i Rhys allu rhoi llwyaid arall o'i frecwast yn ei geg, dangosodd Meri'r cynllun y bu hi'n gweithio arno hyd oriau mân y bore. Ar frig y dudalen roedd dau amcan wedi'u printio mewn llythrennau bras:

1. **CADW RHYS BACH YN WEINIDOG SOAR**
2. **RHOI'R SAC I'R BLAENORIAID A CHAEL PWYLLGOR DEMOCRATAIDD YN EU LLE.**

Roedd ugain pwynt yn ganolbwynt i'w strategaeth i gyflawni'r amcanion hyn, pob un yn dangos ei hawydd a'i brwdfrydedd dros ei hachos. Teimlai Rhys yn wan wrth ddarllen cynnwys y pedwerydd pwynt ar bymtheg a'r ugeinfed: paentio waliau allanol cartref Brenda a herwgipio'i chath.

"Meri, allwch chi ddim neud y petha 'ma – mi fyddwch chi ar eich pen yn jêl!"

"Rŵan, peidiwch â dechrau panicio, Rhys bach, ma pob dim dan reolaeth. Y cynllun ydi glynu wrth y deg cyntaf. Os oedd deg yn ddigon da i Moses, ma hynny'n ddigon da i mi. Ond os ydi Brenda yn dechra chwara'n fudur, wel, yna mi ddefnyddiwn ni'r deg arall hefyd."

Er mwyn ceisio lleddfu ymhellach ar bryderon Rhys, aeth Meri ati i ddangos y poster roedd wedi'i gynllunio ar gyfer lansio'r ymgyrch. Unwaith yn rhagor, roedd llun ohono'n fawr ar yr ochr chwith, ond bu bron iddo dagu wrth ddarllen y geiriau gyferbyn â'r llun:

Calliwch

A

Chadwch

Llanaber

Yn

Ddi-flaenor

Cyn y gallai Rhys dynnu sylw Meri at y byrfodd tra anffodus, roedd hi wedi symud ymlaen i ddatgelu ei phrif arf i guro'r gelyn, â'i llygaid yn pefrio.

"Mi oedd yr hogan fach ar y ffôn wrth ei bodd; fel arfar ma nhw'n stryffaglu i chwilio am byncia i'w trafod."

"Nhw?"

"Ia, Radio Cymru."

"Be sgynno nhw i neud efo'r peth?"

"Dwi wedi llwyddo i gael Gwilym Owen i gadeirio dadl fyw ar y weiarles yn trafod y matar."

Ac eithrio Eleri Siôn, roedd Rhys wedi cael digon ar y wasg a doedd ganddo ddim bwriad i gyfrannu i unrhyw raglen nac eitem am o leiaf ddegawd arall, felly ymatebodd yn ddigon pigog.

"Wel gewch chi ffonio pwy bynnag fuo chi'n siarad efo fo a deud eich bod wedi gneud camgymeriad. Dwi'm yn cymryd rhan mewn unrhyw ddadl."

"Ond Gwilym Owen sy'n cadeirio."

"Dio'm ots gin i os mai Duw ei hun sy'n cadeirio. Na, Meri

… Na!"

Yn dawel fach, roedd gan Rhys barch at Gwilym Owen. Arferai chwerthin wrth wrando arno'n llwyddo i dynnu gwesteion yn ddarnau, ond mater tra gwahanol fyddai eistedd gyferbyn â'r hynafgwr a chael ei groesholi ganddo. Sylweddolodd ei fod wedi mynegi'i farn braidd yn llawdrwm, a bod Meri bellach yn ymddangos yn gythreulig o ypsét.

"Ylwch, Meri, dim bod yn anniolchgar ydw i, ond siawns na fedrwch chi ddeall mod i wedi hen laru ar yr holl sylw yma, yn medrwch? Y peth ola dwi isio ydi bod ar raglen radio arall."

"Fan 'na 'dach chi'n rong, Rhys. Dwi'n cofio Max Clifford yn sôn am y Beckhams unwaith ac yn deud, er eu bod nhw'n cwyno bod y wasg ar eu hola ddydd a nos, bod sylw o'r fath yn gneud byd o les i'w proffeil nhw."

"Ia, ond tydw i'm isio proffeil o'r fath; gweinidog ydw i, nid *footballer.*"

"Ond 'dach chi'n enwog 'run fath – ma pawb hyd y wlad yn sôn amdanoch chi a Soar – a meddyliwch, cal y dyn ei hun, Gwilym Owen, yn sefyll o'ch blaen chi. Ma meddwl am y peth yn ddigon i neud 'y nghoesa i'n wan."

Dyna pryd y synhwyrodd Rhys fod cymhelliad arall yn perthyn i frwdfrydedd Meri i gael y dyn ei hun yn ymweld â Llanaber. Ers blynyddoedd bu'n gwrando ar bob rhaglen o'i eiddo ar y radio a'r teledu, a hi oedd y ddynes a ffoniodd *Stondin Sulwyn* drwy gydol mis Medi 1986 i bledio achos Gwilym Owen yn dilyn ei gyfraniad i raglenni teledu o faes Eisteddfod Genedlaethol Abergwaun. A hithau wedi bwrw glaw bron yn ddi-baid yn ystod wythnos gyntaf mis Awst, bu i Gwilym Owen gael ei feirniadu'n hallt am fynd ati, yn fwriadol yn ôl rhai, i chwilio am y mannau mwyaf mwdlyd ar y cae i ddarlledu ei slot pum munud ar gyfer y rhaglen nosweithiol. Tra oedd hi'n gwrando arno'n cael ei lambastio gan bawb a phopeth, sylweddolodd Meri bod ganddi deimladau tuag at yr hen Wilym. Bu'n freuddwyd ganddi ei gyfarfod yn y cnawd byth ers hynny.

"Ydi'r blaenoriaid yn gwbod eich bod chi wedi trefnu hyn?"

"Wel nac'dyn siŵr! Dyna be sy mor dda am y peth. Gyda chydig bach o lwc, unwaith gerddan nhw mewn i'r festri a gweld Gwilym Owen yn sefyll yno efo'i feicroffon mawr fflyffi, geith Brenda a'i chriw hartan."

"Ylwch Meri, dwi'm yn credu bod hyn yn syniad rhy dda."

"Rhys bach, 'sa chi'n anobeithiol mewn rhyfal. Ma gofyn i ni fod yn slei a mentro ombach. 'Dach chi'n cofio teitl y ffilm 'na am yr SAS efo Lewis Collins ynddo fo, *He Who Dares Win* neu rwbath? Ew, 'na chi bishyn oedd hwnnw ..."

"O'n i'n meddwl ma Gwilym Owen oeddach chi'n ffansïo?"

"Ma 'na ddigon o le yn y tŷ 'cw i'r ddau ohonyn nhw; 'sa Dafydd bach yn cal cysgu yn y fan eis crîm 'na sgynno fo."

"Ylwch, 'swn i'n teimlo'n hapusach tasach chi'n canslo Gwilym Owen am y tro, er mwyn tegwch i bawb."

"Toes 'na'm ffasiwn beth â thegwch mewn rhyfal."

Yn ystod y dyddiau diwethaf cawsai Rhys agoriad llygad ynghylch Meri Daz. Gwyddai ei bod hi'n dipyn o gymeriad, ond nid oedd wedi llawn sylweddoli y dycnwch oedd yn perthyn iddi. Dechreuodd feddwl efallai bod Dafydd bach yn sant am allu byw efo'i wraig. Wedi hanner awr o ymresymu a phledio, llwyddodd Rhys o'r diwedd i berswadio Meri mai da o beth fyddai iddo ef gysylltu gyda'r BBC ei hun a chanslo ymweliad ei harwr, ond roedd yn gwbl amlwg fod Meri'n anfodlon ar gyfaddawd o'r fath, a gadawodd hithau'r tŷ yn hynod o siomedig.

"'Nes i wirioneddol fwynhau'r cyfweliad ar y radio ddechra'r wythnos efo Eleri Siôn – tydi hi'n gymeriad, dudwch? A chwarae teg i chitha, naethoch chi siarad yn dda iawn."

Robin oedd yr unig un i dorri ar yr awyrgylch annifyr yn ystafell y blaenoriaid pan gerddodd Rhys i mewn y Sul canlynol.

Doedd Gresyn na Brenda ddim yn bwriadu cyfeirio at y cyfweliadau radio gan fod Rhys wedi dod allan o'r holl sefyllfa'n dra llwyddiannus.

Trannoeth y cyfweliad, roedd erthyglau ar dudalennau blaen y *Daily Post* a'r *Western Mail* yn canmol safiad y gweinidog, ac yn y colofnau golygyddol croesawyd ei agwedd eangfrydig, gan ddarogan y byddai'i ddawn i drafod materion yn onest ac agored yn gwneud byd o les i grefydd a chymdeithas fel ei gilydd. Am weddill yr wythnos gwelwyd rhengoedd eraill o fewn y wasg yn mynegi safbwyntiau cyffelyb.

Wrth gynnig gair o weddi cyn y gwasanaeth, taniodd Rhys ambell i ergyd ddigon anghynnil, gan gyfeirio at yr ifanc a'r gwael yn eu plith a gobeithio y byddai'r Bod Mawr yn ddigon graslon i gynnig cysur a noddfa iddynt ym mha bynnag ffordd roedd Ef yn gweld yn briodol. Prin bod Rhys wedi dweud 'amen' pan gododd Gresyn ar ei draed, cydio'n ei lyfr emynau a cherdded allan o ystafell y blaenoriaid dan fwmian.

Yn y capel, roedd nifer y gynulleidfa wedi cynyddu unwaith yn rhagor. Y tro hwn roedd yn agos i gant yn disgwyl yn eiddgar i wrando ar ddoethinebu Rhys. Wrth gwrs, gan nad oedd y mwyafrif llethol ohonynt yn fynychwyr selog, doedd ganddynt ddim syniad o drefn y gwasanaeth, ac o ganlyniad aeth pethau ychydig yn flêr yn ystod hanner cyntaf yr oedfa. Chwaraeodd Olwen Organ y rhagarweiniad i 'Ysbryd y Tragwyddol Dduw', a chododd tua ugain o'r dieithriaid ar eu traed wrth i Cagney a Lacey a Dic Deryn Corff ddechrau adrodd geiriau'r emyn. Wedyn aeth Rhys ati i ddatgan eu bod am ganu emyn 623, ond gan nad oedd nifer yn gwybod am fodolaeth fersiynau diweddarach o'r llyfr emynau, bu i dri-chwarter y gynulleidfa edrych ar ei gilydd mewn penbleth, er i rai geisio celu eu diffyg gwybodaeth drwy hymian neu ganu 'la-la-la' i gyfeiliant ansoniarus yr organ. Gan mai cwta ddwsin oedd yn meddu ar unrhyw wybodaeth ynghylch y tonau a'r geiriau, roedd y canu'n drybeilig o wael ac yn ymdebygu'n fwy i gystadleuaeth Cân i Gymru na dim byd arall.

Erbyn iddi ddod yn amser i Gresyn wneud y cyhoeddiadau roedd Rhys yn eithaf balch o gael ychydig funudau iddo'i hun. Gallai weld ar wynebau'r gynulleidfa nad oeddynt wedi deall yr un gair o'i ddarlleniad o bedwaredd bennod ar ddeg llyfr Mathew, ac yn ddi-os byddai ei bregeth, ar destun arwyddocâd dienyddio Ioan, yn wastraff amser. Wrth iddo bendroni beth fyddai orau i'w wneud dan y fath amgylchiadau, clywodd Gresyn yn tagu'n drwm mewn ymgais i glirio'i wddf, cyn gweiddi fel pe bai'n annerch torf yn Stadiwm y Mileniwm:

"Hyfrydwch o'r mwya i mi a 'nghyd-flaenoriaid yw gweld cynifer ohonoch chi yn y gynulleidfa. Tydw i'm yn cofio pa bryd i mi weld y capel mor llawn ddiwethaf. I'r rhai ohonoch sydd efallai ddim mor gyfarwydd â'r drefn, y llyfr glas yw'r llyfr emynau a'r llyfr mawr du yw'r Beibl. Gresyn o beth na fyddai hyn yn ddigwyddiad wythnosol, ond os hoffech ddod yn gyflawn aelodau o Gapel Soar mae pob croeso i chi ddod i siarad gyda mi, sef trysorydd y capel, neu gyda'r gweinidog, Mr Rhys Roberts, y fo sy'n eistedd yn y pulpud fyny fan yna efo'r goler wen 'na o amgylch ei wddw."

Gallai Rhys weld nifer sylweddol o'r gynulleidfa'n edrych ar y trysorydd â chyfuniad o syndod ac annifyrrwch ar eu hwynebau. Doedd Gresyn erioed yn enwog am ei sgiliau diplomataidd, ond roedd ei sylwadau chwerw yn amlwg wedi mynd lawr fel bwced o chŵd ymhlith y newydd-ddyfodiaid.

Be goblyn sy'n bod ar y twmffat? Pam 'sat Ti'm 'di'i gymryd o a gadael Meri Thomas druan lle roedd hi? Sbia ar bawb yn edrych ar ei gilydd, ddim yn gwbod be i neud. Mae gen i waith deud rwbath i dawelu'r dyfroedd rŵan. Argol, ma isio gras efo'r clown 'ma weithia ...

Cododd Rhys ar ei draed eto.

"Fel y dywedodd Hari, mae'n braf iawn gweld cynifer o bobl yma – croeso cynnes i bob un ohonoch chi i Gapel Soar, a mi faswn i a'r swyddogion wrth ein boddau tasa ambell un ohonoch chi'n penderfynu dod yn aelodau. Gyda chydig bach o lwc fe gawn ni sgwrs ar ddiwedd y gwasanaeth ac fe gawn ni'ch gweld chi yma eto'n fuan."

Gyda phwt syml o groeso fel hynny, penderfynodd Rhys mai da o beth fyddai dewis emyn hawdd i bawb ei ganu, ac felly cyhoeddodd eu bod am ganu emyn rhif 50, 'Down i'th wyddfod, Dduw, kwmbayah ...' Parhaodd Rhys i adrodd geiriau'r emyn er mwyn rhoi cyfle i Olwen Organ ddygymod â'r sioc – gallai ei chlywed hi'n troi tudalennau'r llyfr emynau fel melin wynt, gan fytheirio a rhegi am yn ail. Go brin bod Huw Ethall, cyfieithydd yr emyn enwog, wedi bwriadu i'r geiriau 'shit, shit, shit' fod yn rhan o'r emyn.

Ac eithrio ambell i nodyn fflat, talodd y syniad o newid emyn ar y funud olaf ar ei ganfed – o leiaf gallai pawb gyfrannu tuag at y canu. Ac yn wir, aeth yr hen Robin i hwyl y darn, gan ailganu'r pennill olaf – rhywbeth arall nad oedd wrth fodd Olwen druan, a oedd eisoes yn chwysu peintiau ac yn pwyso'n drwm ar y pedalau, gan ddychmygu mai ceilliau Rhys oeddynt. Newidiodd Rhys drywydd ei bregeth, gan sôn am y perygl sy'n wynebu cymdeithas sy'n brysur seciwlareiddio, gyda'i dinasyddion yn colli'u pennau'n lân wrth ddadlau am faterion plwyfol, cul a dibwys. Pwysleisiodd yr angen i Gristnogion yr unfed ganrif ar hugain fod yn gryf ond yn ddigon hyblyg eu ffydd i allu addasu rhyw gymaint ar eu cred er mwyn sicrhau ei bod yn berthnasol i ofynion a natur y gymdeithas fodern. Am y tro cyntaf ers hydoedd, cafodd Rhys fwynhad wrth bregethu; teimlai nad oedd wedi traethu i bedair wal a seddi gweigion.

Roedd Robin wedi'i gythruddo gan sylwadau Gresyn yn

ystod y cyhoeddiadau, ac roedd yn benderfynol o fynegi hynny wrtho hefyd.

"Pam ddiawl oedd angen bod mor gas?"

"Twt, dwn i'm am be 'dach chi'n boeni … Welan ni mohonyn nhw eto. Dim ond dod yma i fusnesu oeddan nhw, sgin i'm mynadd efo'r *fly by nights* o addolwyr 'ma."

"Am uffar o agwedd Gristnogol! Ddylia bo cwilydd arnoch chi."

Edrychodd Gresyn i gyfeiriad Brenda yn y gobaith o gael cefnogaeth, ond mae'n amlwg ei bod hithau hefyd wedi teimlo iddo fod yn llawdrwm, ac er mwyn osgoi cael ei llusgo i mewn i'r drafodaeth rhoddodd ei thrwyn yn ddwfn yn ei *handbag*, gan smalio chwilota am ryw *fint imperial* nad oedd yn bodoli.

Dechreuodd Robin brotestio ymhellach, ond bu raid iddo gau ei geg pan agorwyd drws ystafell y blaenoriaid. Yno'n atal yr haul rhag goleuo'r ystafell safai ffrâm unigryw Olwen Organ, ei hwyneb yn fflamgoch a'i hanadl yn drwm dan wylltineb.

"Meiddiwch chi wneud y ffasiwn beth â newid emyn heb ddeud wrtha i o flaen llaw eto, Mr Roberts, ac mi gewch chi wybod drostoch chi'ch hun sut oedd Ioan yn teimlo ar ôl colli'i ben."

Trodd ar ei sawdl a daeth yr haul yn ôl i lenwi'r ystafell. Roedd ei hymadawiad yn gyfle euraid i Gresyn ailddechrau arthio ar Robin, gan ei gyhuddo o gael ei ddylanwadu'n llawer rhy rwydd gan bobl oedd yn trin crefydd fel rhywbeth mympwyol a chyfleus pan oedd yn eu siwtio nhw. Cafodd Rhys lond bol ar y cecru a'r dadlau a sleifiodd allan yn dawel.

Mi fydda i'n falch o adael y twll lle 'ma. Mae rhywun yn trio'i orau i ennyn diddordeb pobl o'r newydd, a be sy'n digwydd? Ma'r swyddogion yn actio fel plant bach ac yn cecru a ffraeo'n ddiddiwedd. Pam dwi'n trafferthu, Duda?

Â'r teulu bychan yn cychwyn am America drannoeth, penderfynodd rhai o selogion y Swan drefnu parti ffarwél i Catrin a'i rhieni. Gofynnodd Vinnie a fyddai Rhys yn fodlon ei gynorthwyo gyda'r trefniadau, a bu Llinos a rhai o athrawon eraill yr ysgol gynradd wrthi'n ddiwyd yn paratoi'r bwyd. Aethpwyd ati i addurno'r dafarn gyda balŵns, *streamers* a geriach tebyg. Gosododd Vinnie faner amryliw hyd y bar, gyda'r geiriau 'Pob Hywl Catrin' mewn llythrennau glas a melyn arni. Doedd gan Rhys mo'r galon i gywiro Vinnie – o leiaf roedd yn gwneud ymdrech i ddysgu'r iaith a chymhathu ei hun yn y gymdeithas.

Pan gerddodd Catrin i mewn i'r dafarn roedd ei hwyneb yn bictiwr, a phan ddechreuodd pawb glapio a gweiddi 'hip hip hwrê', bu'n rhaid i'r mwyafrif o'r oedolion frwydro'n galed iawn i sicrhau nad oedd eu hemosiynau'n mynd yn drech na hwy. Gan fod y lle'n llawn plant, penderfynodd Vinnie nad oedd alcohol i'w werthu; roedd rhaid i bawb fodloni ar ddiod oren, dŵr neu lemonêd, a chafodd pawb fodd i fyw rhwng y gêmau amrywiol a'r disgo bach yng ngardd gefn y dafarn. Bu ond y dim i ambell un golli rheolaeth ar ei bledren wrth weld rhai o selogion y dafarn yn ceisio dynwared Elvis Presley gyda'r peiriant carioci, a phawb yn glana chwerthin wrth weld nain a taid Catrin yn perfformio deuawd Sonny a Cher.

Prin y medrai Catrin gadw ei llygaid ar agor erbyn saith o'r gloch, a chydag un o ganeuon yr hen Robbie yn dirwyn i ben penderfynodd Meinir a John mai gwell fyddai mynd â'u merch adref. Rhoddodd Catrin glamp o gusan i Vinnie a Rhys i ddiolch iddynt am drefnu'r syrpreis, ac wedi iddi ffarwelio â'r gweddill a chodi'i bawd ar bawb trodd am ei chartref, ond nid cyn i Meinir ofyn i Rhys a Llinos a fydden nhw'n fodlon picio draw i'r tŷ yn nes ymlaen. Digon gwag ac isel oedd naws y Swan wrth i'r selogion feddwl am y siwrne hir oedd o flaen Catrin fach.

Nid yn aml y byddai Catrin yn cydnabod ei bod wedi blino, ond wedi holl hwyl a sbri'r parti gorweddai ar ei gwely gan edrych yn ddigon llegach.

"Ti'n gwbod be, Rhys?"

"Be?"

"Gin i ofn."

"Sdim isio chdi fod ofn."

"Ond be os na fyddan nhw'n medru 'nhrwsio i yn America?"

"Wel, ma raid i ni beidio meddwl fel'na, ma rhaid i ti gal ombach o ffydd yn y meddygon."

"Be ydi ffydd?"

"Rwbath sy tu mewn i chdi, rwbath sy'n helpu chdi fod yn ddewr pan ma petha'n galed yn yr hen fyd 'ma."

"A ma dy du mewn di'n deud mod i'n iawn i fynd i America?"

"Ydi Catrin, mae o."

"Ti isio dod efo fi?"

"'Swn i wrth fy modd yn dod, ond yn anffodus ma gin i waith i neud yn fan hyn."

"Gwaith sticio ffydd tu mewn i bobl erill?"

"Ia, 'na chdi, rwbath felly ..."

"Ddoi di efo fi i'r maes awyr i ddeud ta-ta?"

"Ti isio i mi ddod?"

"Oes."

"O'r gora 'ta, mi ddo i. Ond dwi'n meddwl 'sa'n well i ti drio cysgu ombach rŵan, neu godi di byth mewn pryd i ddal yr awyren."

"Ocê, ond gad y gola ar y *landing*, dwi'n cysgu'n well pan mae hwnnw mlaen. A gad y drws yn gil gorad hefyd."

"Iawn. Nos da."

"Nos da."

Wrth iddo gau'r drws ryw fymryn bu ond y dim i Rhys feichio crio – roedd wastad wedi ei ystyried ei hun yn berson digon dideimlad, ond wrth weld Catrin yn swatio ac yn dweud nos dawch wrth Piglet, a orweddai wrth ei hochr, daeth lwmpyn go sylweddol i'w wddw.

Cerddodd i mewn i'r gegin, lle'r oedd Meinir ger y sinc yn brysur yn sgwrio sosban oedd eisoes yn lân. Edrychodd Llinos ac yntau ar ei gilydd – roedd yn amlwg bod y ddwy'n cael dipyn o sgwrs cyn iddo gerdded i mewn, a theimlodd Rhys ei fod wedi tarfu arnynt. Er gwaethaf blynyddoedd o fod mewn sefyllfaoedd sensitif ac emosiynol, rhoddai'r byd i gyd am gael gwybod sut i ddygymod â'r fath awyrgylch. Medrai Llinos ddelio gyda sefyllfaoedd o'r fath yn llawer gwell nag ef.

"Golwg wedi blino arni erbyn y diwedd."

"Oedd. Sgin hi'm egni go-iawn, er gwaetha'r bwrlwm ma rhywun yn ei weld ynddi ..."

Gallai Rhys glywed y cryndod yn llais Meinir, ac fe roddai unrhyw beth am gael rhedeg milltir o'r tŷ, ond y cwbl y gallai ei wneud oedd sefyll yn ei unfan fel delw yn gwrando ar y distawrwydd llethol.

"Ofynnodd hi 'swn i'n mynd efo chi i'r maes awyr, ond os ydi ..."

"'Sat ti'n meindio?"

"Ddim o gwbwl. Ddreifia i chi os ti isio ..."

"'Sa hynna'n lyfli. Diolch. Fydd gofyn i ni adael am chwech."

"Dim problem."

"'Swn i'n medru gofyn am chydig oria o'r ysgol a dod efo chi hefyd os ti isio, Meinir," meddai Llinos.

"Ti 'di neud mwy na digon fel ma hi, Llin, ond diolch i ti 'run fath. Dwi'm yn gwbod be 'sa ni 'di neud hebdda chi'ch dau dros y flwyddyn ddiwetha. Sgynnoch chi'm syniad pa mor ddiolchgar ydw i."

Wrth weld ei chariad yn gwingo'n anghyfforddus, awgrymodd Llinos mai da o beth fyddai iddo fynd allan i'r ardd gefn i weld sut oedd John.

"Iawn 'ta," meddai Rhys yn ddiolchgar.

Wrth adael y gegin, sylwodd fod y dagrau'n dechrau cronni

yn llygaid Meinir, a chafodd ei demtio i'w chofleidio, neu geisio dweud rhywbeth mewn ymgais i'w chysuro, ond y cwbl y gallai ei wneud oedd anelu am y drws cefn gan deimlo'n gwbl ddiwerth a phathetig.

Ni fu Rhys erioed mor falch o gael cerdded allan i'r awyr agored. Oedodd a chymryd ychydig eiliadau er mwyn adennill rheolaeth ar ei deimladau cyn mentro at John. Bu'r ddau'n sefyll ochr yn ochr am sbel, gyda'r un ohonynt yn dweud yr un gair. Tra oedd John yn brysur yn smocio'i ddegfed sigarét mewn awr, roedd Rhys yn ceisio meddwl am rywbeth priodol i'w ddweud. Dal i bendroni be'n union oedd y peth calla i'w ddweud oedd Rhys pan drodd John ato a gofyn wrtho'n gwbl glinigol:

"Ti'n meddwl bod dy Dduw di yn edrych lawr arna ni rŵan?"

"Dwi'm yn siŵr."

"Blydi hel, ti 'di'r gweinidog – os nag wyt ti'n gwbod, pwy ddiawl sy?"

Doedd Rhys ddim yn gwybod yn union sut i'w ateb. Beth bynnag a ddywedai, gwyddai na fyddai'n bodloni ei gyfaill.

"Sori, ddyliwn i ddim gweiddi arna chdi fel'na," ymddiheurodd John.

"Ma'n iawn."

"Hebdda chdi, 'san ni'm yn mynd o gwbl."

Doedd Rhys ddim yn gwbl sicr a oedd tôn gyhuddgar yn perthyn i'r frawddeg honno neu beidio. Saib annifyr arall.

"'Na i *deal* efo ti, Rhys. Os neith doctoriaid 'Merica sortio Catrin allan, 'na i ddod yn aelod o'r capel ac mi fydda i yno bob Sul am weddill fy oes."

"Tydi o'm cweit yn gweithio fel'na, John …"

"Nac'di, dwi'n gwbod … ond o'n i jyst yn gobeithio, 'na'i gyd. Oedd be nest ti a Vinnie heddiw'n golygu lot i fi a Meinir. Diolch."

"Ma'n iawn."

"Ffycin hel ma gin i ofn, Rhys."

Roedd y siwrne i'r maes awyr yn boenus o dawel. Roedd Catrin yn gwrando ar ei chwaraewr cryno-ddisgiau symudol, ac yn achlysurol cafwyd ambell i linell o ganeuon Robbie ganddi, ond o ran yr oedolion ni ddywedodd neb yr un gair. Yn eironig ddigon, ers dechrau'r holl helynt gyda'r loteri roedd Rhys wedi bod yn dyheu am ychydig o lonydd a distawrwydd, ond y bore hwn teimlai fel sgrechian er mwyn torri ar y tawelwch byddarol. Wrth nesáu at y maes awyr roedd modd gweld y 'gwylanod metal', fel y disgrifiodd Catrin nhw, yn codi ac yn glanio, ac er gwaetha'r amgylchiadau gallai Rhys deimlo'r cyffro a'r prysurdeb sy'n rhan o bob maes awyr. Parciodd Rhys ger y brif fynedfa ac anelu am gefn y car i nôl y bagiau a'r cesys tra aeth Meinir i chwilio am droli.

"Rhys, ydi'r heddlu yna'n cario gynna go-iawn?"

"Ydyn, rŵan cydia'n dynn yn dy gap."

"Fydd pobl yn cario gynna'n America hefyd?"

"Byddan, siŵr o fod, ond sdim isio i ti ddychryn. Gwranda, Catrin, brynish i hwn i chdi. Bob tro ti ofn, neu ti isio 'bach o ffydd yndda chdi, dwi isio i chdi wasgu'r tedi 'ma'n dynn, iawn?"

"Diolch."

"Pob lwc i ti, mi fydda i'n meddwl amdanat ti … dwi'n siŵr fydd bob dim yn iawn 'sti."

"Ti 'di cal lot o *stick* am chwara'r gêm *Scrabble* 'na efo fi, yn do?"

"'Sdim isio i ti boeni am hynna rŵan."

"Dwi jyst isio deud mod i'n meddwl bod chdi'n cŵl, a diolch i ti."

Rhoddodd Catrin gwtsh i Rhys, cyn mynd trwy'r drysau i grombil y maes awyr gyda'i rhieni. Trodd yn ei hôl a gweiddi dan wenu:

"'Na i ffonio chdi, ocê?"

"Cofia di neud rŵan."

Gwyliodd Rhys y tri ohonynt yn diflannu i blith y cannoedd o deithwyr.

Pwy uffar dwi i ddeud wrth Catrin am bwysigrwydd ffydd? Pa hawl sgin i i ddeud wrthi y bydd popeth yn iawn? A Chdi – tydw i ddim yn dy ddallt Di. Pam Ti'n gadal i rywun fel hi ddiodda? Tydi hi rioed 'di brifo'r un enaid byw. Os w't Ti mor ffantastig â hynna, sut ddiawl fedri Di adael i rwbath fel hyn ddigwydd? Wel, ti'n mynd i atab fi neu be? Hei, dwi'n siarad efo Chdi!

Y prynhawn canlynol ymwelodd Rhys â thrigolion Bryn Hedd, un o gartrefi henoed y dref. Ceisiai ei orau i ymweld â'r cartref unwaith yr wythnos, ac er mai dim ond dwy o drigolion presennol y cartref oedd yn aelodau yn Soar roedd Rhys bob amser yn gwneud ymdrech i fynd o amgylch pawb a chael pwt o sgwrs gyda phob un. Yr un oedd testun y sgyrsiau – y tywydd a'r datblygiadau diweddaraf yn *Coronation Street* a *Pobol y Cwm* – ond roedd Rhys yn cael cryn fwynhad o sgwrsio efo hwn a'r llall serch hynny.

"Bore da, Miss Edwards, sut ydach chi?"

"Iawn diolch, ficer, a chitha?"

"Reit dda."

"Tydach chi ddim am ddeud helô wrtho fo?"

"Y fo?"

"Ia, y llygodan fawr sy'n ista ar fy ysgwydd."

"O ia ... helô ... llgodan."

"Sdim isio i chi edrych mor boenus, 'dan ni'n dau'n ffrindia mawr. Albert ydi enw'r llygodan."

"Albert? ... Enw crand."

"Dyna dwi inna 'di ddeud 'tho fo hefyd. Mae o newydd fod at y deintydd, i gal dannedd gosod newydd."

"Ew, lwcus iawn ... tlws iawn ydyn nhw hefyd."

"'Sa chi'n licio'i fwytho fo?"

"'Da chi'n meddwl 'sa fo'n hoffi hynny?"

"Dwi'n siŵr basa fo wrth ei fodd."

Ni wyddai Rhys pwy oedd wirionaf, Hannah Edwards a gredai'n gwbl ddidwyll bod llygoden fawr yn eistedd yn dwt ar ei hysgwydd, ynteu fo'i hun am gydsynio gyda hi, a chwarae'r gêm bob tro yr ymwelai â'r cartref. Doedd fawr o bwys mewn gwirionedd; os oedd hi'n cael pleser o fwytho awyr iach, pwy oedd ef i'w hamddifadu o'r pleser hwnnw?

Câi Rhys groeso gwresog bob amser gan drigolion Bryn Hedd, ond cafodd ei synnu heddiw wrth i'r preswylwyr glapio'n frwd pan gerddodd i mewn i'r lolfa fawr. Edrychodd o'i gwmpas gan feddwl efallai bod un ohonynt yn cael ei ben blwydd neu rywbeth, a phan welodd ddau neu dri'n gwisgo bathodynnau meddyliodd eu bod nhw'n cyd-ddathlu. Wrth gerdded tuag at un ohonynt gyda'r bwriad o'i longyfarch, cafodd gryn sioc o weld yr hyn oedd wedi'i ysgrifcnnu ar y bathodynnau melyn llachar: 'Rhys yw'r un i ni'. Trodd i gyfeiriad y gegin, ac uwchlaw'r fwydlen am yr wythnos, wrth ymyl llun o Dywysog Cymru'n agor y cartref ym 1976, gwelodd boster mawr ohono ef ei hun yn gwenu fel giât, ac oddi tano y geiriau: 'Gweinidog Gorau Cymru – Mynnwn Ei Gadw'. Aeth at Bessie Evans, un o aelodau hyna Soar, a gofyn pwy oedd yn gyfrifol am y posteri.

"Meri ddaeth yma bore 'ma, deud bod chi'n cael eich hambygio gan y wrach Brenda 'na – sortiwn ni hi allan, peidiwch chi â phoeni dim. Oedd hi 'di ryw hanner sôn y basa hi'n hoffi dod yma ymhen rhyw bedair neu bum mlynadd ond 'dan ni i gyd wedi cytuno – ar ôl be mae hi 'di neud i chi, geith y jadan fynd i Rose Gardens. Cheith hi'm croeso yn fan'ma, nefar."

Aeth Rhys ar ei union draw i dŷ Llinos yn y gobaith o gael adrodd yr hanes, bwrw'i bryderon a derbyn cysur, ond methodd Llinos â chadw wyneb syth wrth wrando arno'n siarad.

"Digon hawdd i chdi weld y peth yn ddoniol, y fi sy'n ei chanol hi," meddai Rhys, gan geisio cael Llinos i weld difrifoldeb y sefyllfa. "Fel o'n i'n dreifio yma mi ffoniodd Daz y mobeil yn mynnu cal trafod tactega ymhellach. Mi fu raid i mi ddeud wrthi'n diwedd mod i wedi addo mynd â chdi i weld ryw ffilm heno 'ma."

"Ddylia bod chdi'n ddiolchgar iddi, Rhys. Ti'm 'di ffeindio joban arall eto, naddo?"

"Naddo, ond mae hi'n prysur droi'r holl beth yn rhyfel cartra rhwng yr aeloda."

"Twt, dwn i'm pam ti'n poeni. Neith les i rywun roi Bic a Gresyn yn eu lle am unwaith."

"Allith petha droi'n fudur."

"Yli, ma pawb yn deud bod petha'n gwella yn Soar. Ma 'na fwy a mwy o bobl yn troi mewn i'r capal ar y Sul, a ti'n boblogaidd – am ryw reswm! Ma pawb call yn gwbod bod y blaenoriaid yn gneud uffar o gamgymeriad."

Tynnodd Rhys hi ato a'i chusanu.

"Be 'swn i'n neud hebddach chdi, duda?"

"Dwn i'm wir. Reit, be 'dan ni am fynd i weld 'ta?"

"Be?"

"Wel, os ti 'di deud wrth Daz bod chdi'n mynd â fi i'r pictiwrs, 'dio ond yn iawn bod chdi'n cadw at dy air."

"'Swn i'n gallu mynd â chdi i fyny grisia …"

"Rhys bach, ti'n weinidog – fiw i chdi ddeud clwydda wrth dy bobl neu beryg ei di ar dy ben i uffern."

"Ond …"

"Tasa chdi'm yn credu fel fi, fasa 'na'm problem, na'sa? Ond dyna ni, os bihafi di dy hun a phrynu bwcad o bopcorn i mi … falla gei di ddod nôl yma heno."

Aeth Llinos i chwilio am ei hesgidiau ac aeth Rhys drwy'r drws cefn i gael smôc bach sydyn. Gwelodd Miss Owen yn lladd y mymryn lleia o chwyn hyd llwybr ei gardd. Er ei bod yn aelod yn Soar, prin roedd hi'n twllu'r lle, a digon llugoer oedd ei hagwedd tuag at Rhys, a hynny am nad oedd hi'n hoffi'r ffaith ei fod yn aros gyda Llinos a hwythau ddim yn briod.

Cododd ei law arni a dweud helô, ond trodd hithau yn ei hunfan a mynd yn ôl i mewn i'r tŷ heb ddweud gair. Daeth Llinos allan a chloi'r drws.

"Be uffar sy'n bod ar Miss Owen?"

"Pam?"

"Ddudis i helô ond prin nath y sguthan godi'i phen."

"Ti'n gwbod sut ma hi ar y gora, a fuodd Bic draw yn ei gweld hi pnawn 'ma."

"O … honna."

"Oedd y ddwy'n ista'n 'rardd ac yn siarad yn ddigon uchel fel mod i'n clywad bob gair."

"Pam, be ddudon nhw?"

"Bic oedd yn nadu crio, 'de? Deud bod Daz yn ei dilyn i bobman ac yn harthio arni'n gyhoeddus. Oedd hi'n trio deud bod ganddi ddigon o dystiolaeth i ddwyn achos o *harrassment* yn ei herbyn hi, a bod Daz yn torri ryw gyfraith yn ymwneud â'r drefn gyhoeddus neu rwbath."

"Tyd o'ma reit handi, wir Dduw."

Gyda thrwyn y car yn anelu am Landudno, roedd Rhys yn falch o'r cyfle i ddianc o Lanaber am ychydig, a chyda Llinos wrth ei ochr a chryno-ddisg Celt yn chwarae yn y cefndir, teimlai y gallai ymlacio ychydig, a hynny am y tro cyntaf ers sbel. Ni pharodd y teimlad yn hir. Ar gyrion Llanaber bu bron i Rhys golli rheolaeth ar y Volvo wrth weld yr olygfa o'i flaen. Roedd fan hufen iâ Dafydd bach yn dod i'w cwrdd, a dyna lle'r oedd llun o ben Rhys rhwng bob *ninety-nine* a *cornetto* hyd ochrau'r cerbyd. Boddwyd geiriau 'Bethlehem a'r Groes' gan lais Meri'n datgan yn glir drwy gyfrwng system sain y fan hufen iâ: 'Cadwch Rhys bach yn Soar, a thaflwch y sguthan Brenda 'na allan o'r sêt fawr.'

"'Rarglwydd Grist," ebychodd Rhys, "tydi hon ddim hanner call!"

Pwysodd ei droed ar y sbardun. Gorau po gynted y bydden nhw'n dianc o Lanaber.

Gydag ymgyrch Meri Daz yn ei hanterth, galwodd Robin draw i'r tŷ capel a gofyn a fyddai Rhys yn fodlon cyfarfod dirprwyaeth o blith y blaenoriaid yn y festri y noson ganlynol. Cytunodd y gweinidog yn syth gan ddatgan fod pethau'n brysur fynd y tu hwnt i bob rheswm ond, yn anffodus i Robin, fel roedd o'n gadael y tŷ capel daeth wyneb yn wyneb â Meri. Ceisiodd wrthsefyll ei holi Gari Tryfanaidd, ond bu ei wynt di-baid yn ddigon i ddatgelu byrdwn ei ymweliad iddi, a mynnodd Meri y byddai hithau hefyd yn bresennol yn y cyfarfod er mwyn gwarantu tegwch a chyfiawnder i'w gweinidog.

Er gwaethaf holl helynt yr wythnosau diwethaf, cafodd Rhys syndod wrth iddo sylweddoli ei fod yn teimlo'n nerfus wrth baratoi ar gyfer cyfarfod y blaenoriaid. Sylwodd fel roedd cledrau ei ddwylo'n gynnes a gwlyb gan chwys wrth iddo geisio gwneud cwlwm bach twt gyda'i dei. Roedd yn wir ei fod wedi dyheu droeon yn ddiweddar am roi'r gorau i'w swydd ond, yn ddelfrydol, dymunai adael ar ei delerau ei hun, nid cael ei wthio gan Brenda Bic a'i chiwed. A ph'run bynnag, doedd ganddo ddim affliw o syniad pa swydd arall y gallai wneud. Pan ddaeth cnoc Meri ar y drws ffrynt, a hithau'n sefyll yno yn ei gyfarch gyda'i gwên a'i hegni byrlymus arferol, bu ond y dim i Rhys chwydu yn ei gwyneb.

"Rhys bach, 'dach chi'n edrych yn giami ar y naw os ga i ddeud. Neith o mo'r tro i chi fynd i faes y gad yn edrych mor gythreulig o welw. Hwdwch."

Estynnodd *hip flask* o'i bag a'i hwrjio dan ei drwyn.

"'Dach chi'n meddwl bod hynna'n syniad da? Be tasa nhw'n ffeindio bod 'na ogla diod ar fy ngwynt i?"

"Twt, neith llond cegiad ddim drwg i chi – yfwch o reit handi, mae'n rhaid i ni fod yn gry ac yn gadarn. Ma'r gelyn yn ein haros."

Doedd Rhys ddim am ei phechu ar amser mor dyngedfennol, felly cymerodd ddracht o'r fflasg cyn mynd ati i gau Panty yn y gegin, cydio'n ei fag a chychwyn yn wrol i gyfeiriad y festri. Cyn iddynt fynd i mewn, trodd Meri ato a rhoi cusan ar ei foch cyn dymuno pob lwc iddo. Tynnodd Rhys anadl ddofn a chamu i mewn i ffau'r llewod.

Wrth agor drws y festri gwelodd fod Gresyn, Brenda Bic a Robin yn sefyll yn gefnsyth mewn hanner cylch. Ni ddywedodd Gresyn na Brenda air o'u pennau, dim ond syllu'n oeraidd ar eu gweinidog a'i gynrychiolydd. Sylwodd Rhys ar Robin yn llyncu'i boer deirgwaith cyn cael digon o hyder i dorri ar y saib annifyr.

"Rhys … fyddwch chi a'ch cynrychiolydd mor garedig ag eistedd i lawr? Mae 'na rywbeth 'dan ni angen ei drafod."

Nodiodd Rhys i gyfeiriad Robin, cyn troi at Meri a gofyn iddi eistedd. Dan rwgnach ac ebychu gwnaeth Meri yn unol â dymuniad ei gweinidog, ac eisteddodd y ddau i wynebu'r tri gŵr doeth. Er i Brenda agor ei cheg fel pe bai am gymryd yr awenau, llwyddodd Gresyn i gael y blaen arni.

"Yn dilyn digwyddiadau'r wythnosa diwetha 'ma, 'dan ni fel blaenoriaid wedi bod yn trin a thrafod eich sefyllfa chi fel gweinidog yn ofalus iawn. Bu rhai ohonom yn dwys ystyried goblygiadau'ch …"

"Hari bach, tyd yn dy 'laen, bendith y tad i ti. Be 'dach chi wedi'i benderfynu?"

Doedd fawr o Gymraeg rhwng Gresyn a Daz ar y gorau, ond pan dorrodd Meri ar ei draws, edrychodd y trysorydd arni fel petai am ei thagu.

"Mi ydan ni wedi … newid ein meddylia."

"Be?"

"Tydan ni ddim am dderbyn eich ymddiswyddiad chi. 'San ni'n hoffi i chi aros."

"Pam y newid agwedd?" holodd Rhys.

"Wel, ma gynnon ni gynllunia …" meddai Brenda Bic, ond torrodd Gresyn ar ei thraws reit ulw handi.

"Mi ydan ni wedi sylweddoli eich bod yn weinidog … digon da. Mae'ch calon chi yn y lle iawn, a chyn belled â'ch bod yn ymddiheuro am eich camwedd gyda'r loteri, dyna ddiwedd ar y mater, a ddudwn ni ddim rhagor am ..."

"Ymddiheuro? Ymddiheuro am be?"

Roedd Meri ar ei thraed cyn i Gresyn gael cyfle i orffen ei frawddeg.

"Tydi Rhys bach ddim wedi gwneud affliw o ddim o'i le. Cwbl nath o oedd cael sgwrs efo merch saith mlwydd oed sy'n digwydd mynychu'r Ysgol Sul ac sy'n hogan fach sâl iawn ..."

Torrodd Brenda ar draws truth Meri.

"'Dan ni'n troi yn ein hunfan yn fan hyn – cwbl sydd raid i Mr Roberts ei neud ydi ymddiheuro."

"Byth."

Cydiodd Rhys ym mraich Meri a'i hannog i eistedd i lawr. Yn sicr, doedd o ddim wedi rhag-weld y fath ddatblygiad.

"Tydw i ddim yn fodlon ymddiheuro am sgwrsio gyda Catrin ..."

"Un styfnig fel mul fuoch chi rioed, Mr Roberts."

"Cau hi'r hulpan dew," meddai Meri, gan gynddeiriogi Brenda.

"Sgynnoch chi ddim hawl bod yma'n y lle cynta, heb sôn am insyltio aelod o'r sêt fawr."

"Ferched, plîs, os ga i orffan," ymbiliodd Rhys. "Er nad ydw i'n fodlon ymddiheuro am sgwrsio gyda Catrin, mi rydw i'n fodlon ymddiheuro unwaith eto i'r aeloda hynny sy'n teimlo eu bod wedi cael eu brifo gan yr holl ffŷs o ganlyniad i'm sgwrs gyda'r fechan. Ydi hynny'n ddigon da?"

Edrychodd Gresyn ar Brenda i weld beth oedd ei hymateb hi, ond roedd hi'n rhy brysur yn rhythu ar Meri. Robin oedd yr un a dorrodd ar y distawrwydd.

"Wel, dwi'n gredwr cryf mewn cyfaddawd, a dwi'n styriad cynnig Rhys yn gyfaddawd mwy na theg."

Edrychodd pawb arno am sbel gan hanner disgwyl rhech i goroni'i gyfraniad, ond ddaeth dim. Gwenodd Robin o glust i glust wrth sylweddoli ei gamp. Mae'n debyg mai'r sioc o weld Robin yn cyfrannu'n ddi-wynt i'r sgwrs a barodd i bawb benderfynu derbyn ei eiriau doeth. Aeth Rhys at y blaenoriaid a chynnig ei law i'r tri, ond dim ond Robin a ymatebodd gydag unrhyw arddeliad. Er i Meri a Brenda baratoi'n feddyliol ar gyfer brwydr eiriol, os nad un gorfforol, cafodd y ddwy eu siomi'n ddirfawr a daeth y cyfarfod i ben yn ddigon disymwth. Roedd Rhys i barhau'n ei swydd fel gweinidog capel Soar.

"Wrth gwrs mod i'n falch, Rhys bach," meddai Meri wrth i'r ddau ymlwybro'n ôl at y tŷ capel.

"Pam bod gynnoch chi wyneb hir 'ta?"

"O'n i wedi gobeithio cal sodro'r ddynas 'na yn ei lle unwaith ac am byth."

"Wel, fydd raid i chi aros am ddiwrnod arall i hynny ddigwydd. Ylwch, dwi'n gwybod pa mor galed ydach chi wedi gweithio i'n helpu i'n ddiweddar, ac er falla mod i'm cweit yn cytuno efo rhai o'ch dullia chi, dwi'n wirioneddol ddiolchgar i chi. Wir i chi, diolch yn fawr. Ga i brynu diod i chi yn y Swan?"

"'Swn i wrth fy modd, ond mae nos Fercher gynta'r mis yn noson bath i Dafydd bach, a dwi wastad yn ..."

"Sgwrio'i gefn o? Wel chwara teg i chi, mae o'n ddyn lwcus."

"Rhys bach, peidiwch â bod mor bowld. Fi sy'n llnau'i glustia a torri'i winadd o. Dyna'r ddefod arferol ers chwarter canrif, ac os na wna i, fydd y cradur wedi drysu'n lân am fis cyfan, felly dwi am ei throi hi os nad oes ots gynnoch chi."

"Ddim o gwbl; diolch i chi am fod yn gymint o gefn."

"Twt, peidiwch â rwdlian."

Estynnodd Rhys i'w fag, tynnu amlen frown ohono a'i rhoi i Meri.

"Rhywbeth bach i chi, Meri, i ddeud diolch am fy helpu. Dwi'n gobeithio fydd hwn yn plesio."

Agorodd Meri'r amlen yn ofalus a bu bron iddi wlychu'i throwsus pan welodd lun du a gwyn maint A4 o Gwilym Owen yn gwenu arni, gyda'r geiriau: 'I fy annwyl Meri, gyda chofion cynhesaf, Gwilym' a thair sws wedi'u hysgrifennu'n ddestlus gan y dyn ei hun.

"Pan ffonis i'r BBC i ganslo'r rhaglen, fo'i hun atebodd y ffôn, ac oedd o ond yn rhy falch o gael anfon hwn atoch chi."

Roedd y dagrau'n powlio i lawr gruddiau Meri druan, a rhoddodd y llun yn ofalus yn ôl yn yr amlen, rhag ofn i'r dŵr ei ddifetha. Estynnodd am yr hances yn ei llawes a chwythu'i thrwyn a sychu'i dagrau'r un pryd.

"Rhys bach, falla na ches i roi swadan i Brenda, ond dwi'n hynod o falch 'i bod hi a'r gweddill wedi newid eu meddylia. 'Sa'n bechod eich colli chi, 'dach chi'n weinidog bach reit dda, a dwi wrth fy modd yn cael golchi'ch dillad chi. 'Dach chi werth y byd yn grwn."

Gafaelodd yn ei gweinidog a rhoi clamp o gusan iddo, cyn cerdded am ei chartref dan ganu 'O Fryniau Caersalem'. Wrth edrych arni'n ffagio mynd i lawr Stryd y Capel, gwenodd Rhys cyn troi am dŷ Llinos a cheisio'i orau i rwbio llysnafedd ei olchwraig oddi ar ei foch.

Wel, be uffar dwi'n mynd i neud rŵan? Olreit, dwi'n falch bod gin i jòb a bod yr holl firi dwl efo'r loteri 'ma wedi dod i ben, ond o'n i wir yn meddwl 'swn i'n cal cychwyn efo llechan lân a joban arall. Beryg cha i'm mynd i fyw at Llinos rŵan – o leia fydd Frau Himmler yn falch. A' i am un sydyn i'r Swan, duda? Na, Ti'n iawn, ar ôl tro diwetha dwi'n meddwl 'sa well i fi fynd i weld Llin. Ti'm yn credu mewn gneud bywyd yn hawdd i mi, wyt Ti?

Trwy gydol yr holl syrcas gyda'i swydd, bu Llinos yn gefn ac yn gysur mawr i Rhys, ac fel mynegiant o'i werthfawrogiad penderfynodd drefnu syrpreis iddi – penwythnos yng Nghaer. Ffoniodd Wil Annibýn a gofyn iddo a fyddai'n fodlon cymryd cyfrifoldeb am y gwasanaethau dros y Sul. Cydsyniodd hwnnw gydag awch.

Gwyddai Rhys fod Llinos yn gwirioni ar siopau crachaidd Caer, a gwyddai'n ogystal ei bod hi'n dipyn bach o snob, nodwedd arall a etifeddodd gan Himmler. Felly, ar gyfer eu noson gyntaf yno, trefnodd ystafell yn y Travelodge ar gyrion Caer, ac er i Llinos gyboli ei bod yn fwy na bodlon ei byd, gwenodd Rhys wrtho'i hun wrth ei gweld yn pwdu'n dawel fach. Yr hyn na ddywedodd wrthi oedd ei fod wedi trefnu ystafell ar gyfer yr ail noson yn y Grosvenor, reit yng nghanol Caer. A hithau wedi cael oriau di-ri'n siopa ar y dydd Sadwrn, anelodd y ddau am y maes parcio, ond cafodd Llinos sioc bleserus pan gydiodd Rhys yn ei llaw a'i thywys i gyntedd moethus y Grosvenor.

Wedi ymlacio yn y pwll nofio a'r *jacuzzi*, bu'r ddau'n gloddesta fel pe baent yn perthyn i'r teulu brenhinol, a'r gwin coch drudfawr yn llifo'n rhwydd. Yn gynharach yn y dydd roedd Rhys wedi gobeithio byddai'n cael mwy na *summer fruit roulade with clotted cream* i bwdin, ond rhwng yr oriau maith o siopa, y gwin a'r bwyd, heb sôn am y straen o geisio dygymod gyda syrcas y loteri, prin bod pen Llinos wedi cyffwrdd â'r gobennydd cyn ei bod yn pendwmpian. Doedd dim mymryn o wahaniaeth gan Rhys. Roedd yn fwy na bodlon cael cydio ynddi, a chyda sŵn ambell i dacsi yn sgrialu am fusnes yn y pellter bu'r ddau'n gorwedd ym moethusrwydd a chlydwch un o westai crandia Caer.

"Diolch i ti, Llin ..."

"Ym?"

"Diolch i ti am sticio efo fi. Dwi'n gwbod mod i'n niwsans,

ond dwi yn dy garu di 'sti."

"Mm."

"A ryw feddwl o'n i … falla … os ti isio … hynny ydi, falla dylia ni'n dau … Llin? … Nos dawch, Llin."

Drannoeth, wedi brecwast mawr a chinio mwy fyth, penderfynodd y ddau y dylent droi am adref. Er gwaetha prysurdeb arferol yr A55 ar bnawn Sul roedd y traffig yn symud yn ddigon rhwydd.

"Diolch i ti am drefnu'r dyddia diwetha 'ma, Rhys."

"Ti 'di mwynhau?"

"Do – o'n i wir angen y brêc, diolch i ti."

"Beryg fydd raid i fi stopio yn y garej nesa."

"I be? Lenwis di'r tanc ar y ffor yma"

"Isio rhoi mwy o wynt yn y teiars, i gario'r holl fagia."

"Ma'n dda ma gweinidog wyt ti, ac nid *comedian*."

"Bechod hefyd."

"Be?"

"Na faswn i'n *gomedian*, 'swn i dal yn medru symud ata chdi i fyw wedyn."

"Ma 'na fantais bod chdi'n aros yn weinidog, 'ta."

"A be ma hynna'n ei olygu?"

"Paid â 'ngham-ddallt i, Rhys. Ond cwbl 'sa ni'n neud fasa ffraeo, 'sa chdi'n gadal dy bapura'n bobman a 'swn inna'n gwylltio."

"Dwi'n medru bod yn daclus os dwi'n trio."

"Rhys Roberts, paid â deud gymint o glwydda! P'run bynnag, ar ôl popeth sy 'di digwydd yn ddiweddar, w't ti wir isio gwylltio Bic a Gresyn unwaith eto?"

Cyn i Rhys gael cyfle i ateb canodd mobeil Llinos – Frau Himmler isio gwybod os oeddan nhw'n cael amser da. Rhoddodd Rhys ei droed ar y sbardun tra bod Llinos yn rhestru'r siopau y bu ynddynt yn ystod y deuddydd diwethaf.

Wel dyna ddangos faint o feddwl sgenni hi ohona i 'de? Diolch byth bod hi 'di syrthio i gysgu neithiwr neu 'swn i 'di

*gneud rêl ffŵl o'n hun. Debyg ma aros yn dy lojins Di fydda i
am sbel eto felly – bechod hefyd, ma gin Llinos fathrwm dipyn
neisiach ...*

Wrth iddynt yrru i mewn i Lanaber penderfynodd Llinos y
byddai'n picio i Siop Huws i nôl papur a pheint o lefrith tra
bod Rhys yn cario'r bagiau i'r tŷ. Wrthi'n stryffaglu gyda
phymtheg bag o Laura Ashley, Next a Brown's of Chester oedd
Rhys pan ddaeth Miss Owen allan o'i chartre'n wên deg i gyd
ac yn cario rhyw fag plastig yn ei llaw.

"Iŵ-hŵ, Mr Roberts. Gafoch chi a Llinos amser neis yng
Nghaer?"

"Do, diolch."

"Falch o weld bod chi'n edrych ar ôl eich *young lady*. Ma
Llinos yn ferch annwyl iawn, isio diolch iddi hi o'n i a deud y
gwir. Lle mae hi?"

"Dwi 'di gwerthu hi yng Nghaer, ges i bris reit dda amdani
yn Oxfam."

"Be?"

"Jôc, Miss Owen, ma hi yn Siop Huws, fydd hi yma'n
munud."

"Gynnoch chi hiwmor od iawn os ga i ddeud, Mr Roberts."

"Ma'n braf gweld ein bod ni'n cytuno ar rywbeth, Miss
Owen."

"Newch chi ddeud wrth Llinos mod i'n ddiolchgar iawn iddi
am ei cherdyn pen blwydd?"

"Ia, iawn. Pa bryd oedd hwnnw?"

"Ddoe. Chwara teg, fuodd pawb yn garedig iawn yn cofio
amdana i. Sbiwch be brynodd Brenda i mi. Ffrind triw iawn
ydi Brenda, chi ..."

Bu bron i Rhys gael ffit wrth weld plât felen afiach gyda'r
geiriau 'Canmlwyddiant Capel Soar 1904–2004' ar y stribyn
allanol a llun artist o Gapel Soar a Rhys yn y canol. Wrth i
Llinos gyrraedd pen draw y stryd cafodd gryn sioc wrth weld
ei chymdoges yn colbio'i chariad, a chant a mil o ddarnau bach
o grochenwaith hyd y llawr ym mhobman. Rhedodd tuag atynt.

"Be goblyn sy'n mynd mlaen?"

"Dwi'n mynd i dŷ Gresyn … y munud 'ma," bloeddiodd Rhys.

"Ma'ch tipyn cariad chi 'di torri'n anrheg pen blwydd i – y trychfil bach hyll iddo fo!"

"Rhys?"

"Eglura i'n y car, tyd."

Mewn penbleth lwyr, neidiodd Llinos i'r car a sgrialodd y ddau i gyfeiriad cartref Gresyn, gan adael Miss Owen yn ei dagrau wrth iddi blygu i geisio casglu darnau ei phlât.

"Fourteen ninety-nine?"

"Ia, pris digon rhesymol os ga i ddeud. Oedd Wedgwood isio ugain punt y blât yn wreiddiol ond lwyddis i …"

"Dim y blydi pris sy'n fy mhoeni fi."

"Wel be 'ta?"

Ac yntau wedi gorfod symud i osgoi dwrn Rhys, cafodd Gresyn gryn sioc o weld cymaint o dempar oedd gan ei weinidog.

"Mr Roberts, dwi'n credu eich bod yn gorymateb."

"Gorymateb o ddiawl! Dwi wedi cal deuddydd o seibiant ac o'n i'n ddigon gwirion i gredu bod gobaith i ni roi'r gorffennol heibio a chychwyn o'r newydd. A rŵan mae hyn yn digwydd. Sut ddiawl arall 'dach chi'n disgwl i mi ymateb?"

"Wel ia, ma gynnoch chi bwynt yn fan'na … wrth edrych nôl falla y dylia ni 'di deud 'tha chi bod ni'n bwriadu …"

"Siŵr Dduw y dylia chi fod 'di deud 'tha i, er mwyn i mi'ch stopio chi."

"Nid fy syniad i oedd o'n unig, cofiwch … o na … roedd y blaenoriaid i gyd yn cytuno ar y pryd ei fod o'n syniad da."

Wrth geisio egluro'r sefyllfa, diolchodd Gresyn bod Llinos yn yr ystafell; o leiaf byddai'i phresenoldeb yn sicrhau na fyddai ei chariad yn ei dagu – wel, dyna'r gobaith o leiaf.

"Mae 'na un matar arall hefyd, 'toes, Hari?"

"A be ydi hwnnw, dudwch?"

"Nid yn 1904 y cafodd y capal yma ei godi, naci?"

"*Nineteen-oh-four, nineteen twenty-six* – pwy fydd yn cofio? Ma Meri Thomas wedi'n gadal ni, y graduras. Hi oedd yr unig un oedd yn dablo yn hanas y lle 'ma; fydd neb arall ddim callach."

"A be os ffeindith rywun eich bod chi wedi gwneud camgymeriad?"

"Wel dyna pam mod i wedi codi *fourteen ninety-nine*. Os ddigwyddith hynny, alla i ostwng y pris o ddwy bunt a dal i neud teirpunt o broffit."

Am hanner eiliad gallai Rhys ddeall cymhelliad y bobl hynny oedd yn treulio oes mewn carchar am lofruddio ar fympwy. Fodd bynnag, trwy lwc iddo ef – ac yn fwy felly i Gresyn – llwyddodd Llinos i'w ddarbwyllo na fyddai bwyta uwd am bymtheg mlynedd yn gwneud dim lles i'w perthynas, heb sôn am y pleser a gâi'r cyfryngau wrth adrodd stori am weinidog yn lladd trysorydd ei gapel. Wrth ollwng Gresyn fel sach o datws, gorchmynnodd Rhys nad oedd i werthu'r un blât arall i neb – a Gresyn ei hun, yn hytrach na Soar, fyddai'n gorfod talu pob ceiniog i Wedgwood. Er yn gyndyn ar y dechrau i gytuno, cydsyniodd Rhys i awgrym Llinos y dylai adael i Miss Owen gael plât arall yn lle'r un oedd yn deilchion hyd y ffordd – ond ategodd Rhys ei benderfyniad nad oedd yr un blât i weld golau dydd ac eithrio'r un ar ddresel Miss Owen. Wrth stryffaglu i gael ei wynt ato, doedd gan Gresyn mo'r hyder i gyffesu'r datblygiad diweddaraf parthed y platiau.

O ganlyniad i'r ffars gyda'r platiau, cafodd Llinos goblyn o jòb ceisio lleddfu rhywfaint ar dymer ei chariad, a chynigiodd bod y ddau'n cael noson fach dawel yn eistedd o flaen y tân yn gwylio'r teledu a bwyta'r cyrri a reis roedd hi wedi'i brynu o Marks yng Nghaer. Gyda Iolo Williams yn sôn am rinweddau'r fwlturiaid ar S4C, eisteddodd Rhys a Llinos i fwyta eu *chicken korma*, ac er i ambell un geisio'i ffonio gyda'r nos bu Llinos yn ddigon annwyl a diplomataidd i ddweud nad oedd ei chariad i mewn ac na fyddai mewn sefyllfa i ddychwelyd yr alwad tan y bore canlynol. Gyda'r cyrri a'r *naan bread* wedi'i gladdu a chanfed cyfres *Goreuon Noson Lawen* ar fin dechrau, roedd hi'n ymddangos bod Rhys yn graddol anghofio am helbulon y pnawn ond, yn anffodus, torrwyd ar naws hamddenol y noson pan glywyd tannau telyn yn tincian ar y teledu a llais Beti George yn datgan yn felodaidd:

"I ddynodi achlysur arbennig canmlwyddiant Capel Soar, Llanaber, archebwch blât unigryw, gyda darlun o'r gweinidog presennol, y Parchedig Rhys Roberts, yn ei harddu. Os archebwch un cyn diwedd y mis, cewch liain sychu llestri gyda'r un patrwm arno am ddim. Cysylltwch nawr â Mr Hari Evans ar 01548 765 987."

Edrychodd Rhys yn gegrwth ar lun ohono'i hun ym mreichiau Beti George. Yn fuan wedyn daeth Dilwyn Pierce ymlaen i fonllef o gymeradwyaeth artiffisial, ond chlywodd Llinos mo'i jôc agoriadol gan bod Rhys yn rhy brysur yn amau cyfreithlondeb genedigaeth ei drysorydd ac yn awgrymu ei fod yn ymdebygu i ran go bersonol o ddafad ifanc.

Efallai mai cyd-ddigwyddiad llwyr oedd y cyfan, a bod holl gasglwyr platiau Wedgwood yn digwydd gwylio S4C y noson honno, neu efallai mai llais hudolus Beti George oedd yr allwedd i'r cyfan – beth bynnag fo'r esboniad, roedd tafod Gresyn yn sych grimp o ganlyniad i'r holl siarad y bu'n ei wneud wrth gymryd archebion am y platiau. Erbyn chwarter i hanner nos, roedd y cyfan o'r mil o blatiau a gynlluniwyd i ddynodi canmlwyddiant Capel Soar wedi'u gwerthu, a phenderfynodd y trysorydd yfed wisgi bach i longyfarch ei hun ar lwyddiant ei fenter.

Agor potel fu hanes Rhys hefyd, nid i ddathlu ond i foddi gofidiau. Er iddo geisio cysylltu gyda'i drysorydd, profodd yn dasg amhosib gan fod llinellau ffôn y ddau ohonynt yn brysur drwy'r gyda'r nos. Ffoniodd ei fam i gwyno nad oedd hi'n gwybod am fodolaeth y platiau cyn hynny, a ffoniodd Anti Jini, Anti May ac Anti Elsie i fynegi'u hawydd i archebu plât –

gyda'r olaf yn awyddus i gael gostyngiad gan ei bod yn perthyn i'r gwrthrych oedd yn ymddangos arni. Wedi sgwrs a barodd am awr, cafodd Rhys ddigon a dywedodd wrthi bod yn rhaid iddo fynd â Panty am dro. Dadgysylltodd y ffôn a mynd i chwilio am y *corkscrew*.

Prin bod yr haul wedi cael cyfle i gynhesu'r llechi ar doeau tai Llanaber nad oedd Rhys yn cydio'n dynn yn ei ffôn.

"Hari. Gwrandwch, dwi isio i chi ddweud wrth y gweddill mod i wedi penderfynu ..."

"Bore da, Rhys. Dwi'n hynod o falch eich bod wedi ffonio. O'n i ddim isio tarfu arnoch chi'n rhy fuan, ond mi fasa'r blaenoriaid a minnau'n hoffi cael sgwrs â chi cyn gynted â phosib."

"'Sdim pwynt, dwi wedi penderfynu ..."

"Mi fyddai chwech o'r gloch yn fan hyn yn ein siwtio ni i'r dim. Gresyn o beth na fydd Robin yn gallu bod yn bresennol, ond edrycha i mlaen at eich gweld am chwech. Hwyl i chi rŵan."

A chyda hynny, rhoddodd Gresyn y derbynnydd i lawr.

"Da iawn chdi, Rhys. Dwi'n *proud* iawn ohona chdi. Fel ddudis di neithiwr, 'nes di'm rhoi cyfla iddo fo chwythu; ddudis di wrtho fo'n union be 'sa fo'n cal gneud efo'i blatia a'i gapal. Ta-ra, wela i chdi heno."

Cusanodd Llinos dalcen ei chariad a mynd am yr ysgol, gan adael Rhys i gicio'r bin mewn rhwystredigaeth. Cydiodd mewn dwy fanana a phaced o sigaréts a dechrau cerdded tuag at Moelfre.

Pam na alla i i fod yn awdurdodol a deud wrth bobl be dwi wir yn ei feddwl? Dwi'n rhy neis efo pobl – ia, 'na fo, dyna ydi 'mhroblem i yn y byd 'ma. Dwi'n gwbod mod i'n cyboli bod gen i dempar a ballu, ond yn y bôn 'ma gin i ofn brifo pobl. Dwi'n treulio'n oes yn trio plesio pawb, tydw? Ac i be? Mae o'n deud yn ddigon aml yn Dy lyfr Di ei bod hi'n bwysig troi'r foch arall ac ati, ond sori, pwy bynnag ges di i sgwennu hwnnw, doedda nhw rioed wedi byw yn Llanaber. Wel, dwi wedi cal digon. Ma petha'n mynd i newid. Dwi'n weinidog enwog erbyn hyn, ma'n hen bryd i fi fod yn ... be ydi 'assertive' yn Gymraeg? Wel, be bynnag ydi o, dyna dwi am fod o hyn

*allan. Dwi'n mynd i roi fi'n hun yn gynta, does yr un diawl yn
mynd i gal rhoi* cheek *i mi. Gresyn, Bic, Himmler neu hyd yn
oed Llinos. Does neb yn cal gneud ffŵl o Rhys Roberts o hyn
mlaen. Ti'n dallt?*

"Wedi meddwl am y digwyddiad anffodus, dwi'n sylweddoli
rŵan mai gresyn o beth oedd na chafoch chi wybod am ein
bwriad gyda'r platia. Dwi'n syrthio ar fy mai'n llwyr."

"Am unwaith, Hari, dwi'n cytuno efo chi, a chwara teg i chi
am fod mor onast, ond tydi o'm ots bellach. Dwi wedi
penderfynu na fedra i ddim aros yn Soar. Cwbl 'da chi a hon
sy'n ista drws nesa i chi 'di neud ar hyd y beit ydi cwyno a
gweld bai. Ffor 'da chi 'di tanseilio'n hyder i dros y
blynyddoedd, mae'n wyrthiol nad ydw i ar *heroin* heb sôn am
valium. Wel, digon yw digon. Dwi'n rhoi'r gora i'r jòb a dwi'n
ei feddwl o y tro 'ma."

"Ylwch, Rhys, dwi isio i ni fod yn gwbl onast efo'n gilydd."

"Mae'n rhy hwyr i hynna, Hari. Does 'na'm byd arall i …"

Ni allod Rhys gwblhau'i frawddeg gan ei fod mewn sioc,
oherwydd tra ei fod yn gwneud ei orau i fod yn awdurdodol a
phenderfynol roedd Brenda wedi cydio yn ei law ac yn
gwenu'n garedig arno. Edrychodd yntau arni mewn syndod, ac
wedi eiliad neu ddwy o dawelwch llethol cychwynnodd Brenda
siarad yn araf a melfedaidd.

"Rhys bach. Dwi'n gwybod ein bod ni wedi anghytuno ar
ambell i beth yn y gorffennol, ond mi ydan ni'n llwyr
sylweddoli eich bod chi'n weinidog a hanner. 'Dan ni'n ffodus
iawn o'ch cael chi'n Soar, a 'dio ond yn reit ein bod yn dangos
ein gwerthfawrogiad ohonoch chi drwy gynnig cytundeb
newydd sbon danlli i chi."

*Hei, doedd hyn ddim yn rhan o'r cynllun – dwi'n trio 'ngora
i fod yn gadarn yn fan hyn. Ma'n ddigon anodd fel ma hi, heb
i hon drio actio'n neis efo mi. Be ydi'i gêm hi?*

Gyda Rhys yn parhau i geisio gwneud synnwyr o'r holl beth,
aeth Gresyn i'w boced ac estyn dogfen wedi'i rhowlio'n daclus

gyda ruban coch amdani. Gosododd hi yn nwylo Rhys.

"Rydan ni wedi llunio cytundeb newydd i chi, ac mi fyddai'n fraint i ni gael eich gweld yn torri'ch enw arno."

Agorodd Rhys y ddogfen yn ofalus ac edrych ar y cynnwys – roedd un pwynt ar hugain wedi'u nodi'n ddestlus, ond yr un a ddaliodd ei lygad oedd y pwynt cyntaf. Roedd hwnnw'n nodi ei fod i dderbyn cyflog o bum mil ar hugain o bunnoedd. Roedd ar fin agor ei geg pan roddodd Brenda ei bys yn dyner ar ei wefusau.

"Peidiwch â deud gair. Cerwch nôl i'r tŷ, darllenwch y cytundeb, trafodwch y mater gyda Llinos, a chysylltwch gyda mi neu Hari pan fyddwch chi'n barod."

Hei, ydi hon ar ddrygs 'ta be? Erbyn meddwl, ella mai fi sydd ar ddrygs – cyflog o bum mil ar hugain? Pum mil ar hugain! Dwi wastad 'di deud mod i'n mwynhau dy wasanaethu Di 'sti!

Unwaith i Rhys ddychwelyd i'r tŷ capel a chael glasied neu ddau o Jack Daniels i'w sadio, gwnaeth ef a Llinos yr union beth roedd Brenda wedi'i awgrymu a bwrw iddi i astudio'r cytundeb gyda chrib mân. Yn nodweddiadol o athrawes ysgol gynradd, ac yn ei ffordd drefnus arferol, aeth Llinos ati i wneud rhestr oedd yn crynhoi ac yn symleiddio'r cynnwys. Ychydig dros awr yn ddiweddarach roedd y ddau'n syllu ar ddeg o bwyntiau.

1. Cyflog o bum mil ar hugain o bunnoedd y flwyddyn.
2. Addewid i foderneiddio'r tŷ capel, gan gynnwys gosod *power-shower* newydd sbon danlli yn yr ystafell ymolchi.
3. Dau gant a hanner o bunnoedd am bob deg person a ddeuai'n aelodau newydd yn Soar.
4. Canpunt o fonws os bedyddid mwy na deg babi mewn mis.
5. Saith deg pum punt o fonws os gwasanaethir tair priodas mewn mis.
6. Cant a hanner o bunnoedd o fonws os cleddir mwy na deg person mewn mis.
7. Pe gadawai rhywun arian neu eiddo i'r capel yn eu hewyllys, rhoddir tri y cant o'r swm fel comisiwn i'r gweinidog.
8. Am bob aelod a ddymunai gyfrannu i'r casgliad wythnosol drwy ddebyd uniongyrchol, rhoddir un y cant o gomisiwn.
9. Cyfle i gyfrannu'n gyson i ddigwyddiadau a gweith-gareddau y tu hwnt i furiau Soar a Llanaber.
10. Lwfans dillad o £100 y mis, i'w dalu'n chwarterol, ynghyd â swm cychwynnol i'w gytuno â'r trysorydd.

Edrychodd Llinos a Rhys ar ei gilydd droeon, gan ailddarllen y pwyntiau drosodd a throsodd. Wedi'r holl ffraeo a checru oherwydd yn y loteri, roedd telerau o'r fath yn peri cryn syndod i'r cwpwl, gymaint felly fel y bu i Llinos ddechrau amau os oedd Rhys wedi bod yn gorliwio agwedd y blaenoriaid tuag ato.

"Pam uffar 'swn i'n deud clwydda am rwbeth fel'na?"

"Ti'n gwbod fel w't ti'n medru bod yn orddramatig weithia …"

"Nac'dw tad. Euogrwydd, dyna ydi o, saff i chdi."

"Ti am dderbyn y cytundeb 'ta?"

"Be ti'n feddwl ddyliwn i neud?"

"Mae o fyny i chdi, tydi."

"Na, na, Llin, dwi isio i ni'n dau benderfynu a chytuno efo'n gilydd."

"Dy benderfyniad di ydi o – chdi sy'n gorfod gweithio efo'r bobl 'ma."

"Wel, mae o'n gynnig da …"

"Ydi, ond ti 'di bod yn cwyno ddydd a nos gymint ti 'di cal dy hambygio ganddyn nhw, ac yn deud dy fod ti wedi laru a bod gin ti ffansi gneud rwbath arall."

"Do, dwi'n gwybod, ond ma nhw'n cynnig coblyn o gelc, tydyn? A fydd petha'n well o hyn mlaen, rŵan ma nhw 'di sylweddoli na chân nhw 'nhrin i fel baw."

"Jyst gna'n siŵr dy fod ti'n gneud y peth iawn."

"Ti'n swnio fel tasa chdi isio fi wrthod y cynnig."

"Nac'dw, dwi jyst isio gneud yn siŵr dy fod yn ystyried y peth yn ofalus. Dwi'm isio i chdi ddifaru, 'na'r cwbl."

"Wn i. Mi fcddylia i am y peth dros y dyddia nesa. Ddudodd Brenda bod 'na ddim brys. Ond dwi wir yn meddwl fydd hi'n dipyn o her."

"Her?"

"Ia. Chwech ydi'r mwya dwi wedi'i gladdu mewn mis hyd yma."

Gwenodd Rhys cyn cusanu Llinos a throi am y gegin i neud panad i'r ddau. Roedd yn rhy brysur yn canu 'We are the Champions' i sylwi ar y pryder yng ngwyneb Llinos. I goroni diwrnod da i Rhys, canodd y ffôn tua hanner awr wedi un ar ddeg.

"Howdy partner – ti'n olreit?"

"Catrin! Haia! Sut wyt ti?"

"Iawn, dwi'n cael mynd i weld Mickey Mouse ddiwedd yr wythnos."

"W't ti wir?"

"Ydw. Dwi'n cael gadael y sbyty am sbel. Maen nhw wedi cael digon ar neud profion a ballu."

"Ond ti'n teimlo'n iawn?"

"Ydw. Sut ma Anti Llinos?"

"Iawn, ma hi'n cofio atat ti, ac yn rhoi sws fawr i ti."

"Ffonia i chdi eto'n fuan. Ma Mam yn fan hyn isio gair. Ta-ra."

"Hwyl, Catrin. Cymer ofal."

"Haia. Sori ein bod ni'n ffonio braidd yn hwyr."

"Dim problem. Sut ma petha'n mynd? Ma hi'n swnio mewn hwylia da."

"Fyny ac i lawr 'de. Oedd hi bach yn isel ar ôl cal yr holl brofion. Dyna pam awgrymis i 'san ni'n eich ffonio chi. Sut ma petha yn Llanaber?"

"Tsiampion, Meinir. Dwi wir yn teimlo fod petha ar i fyny."

Safai Rhys yn ei drôns yn eillio ac yn canu deuawd efo Meinir Gwilym, ond bu raid iddo roi'r gorau iddi cyn gorffen yr ail bennill gan fod rhywun yn curo ar y drws. Edrychodd ar ei oriawr – prin ei bod yn hanner awr wedi wyth – cyn rhedeg i'r ystafell wely, cydio mewn crys-t a rhuthro i lawr y grisiau.

"Tydi hi'n ddiwrnod godidog o braf, Rhys?"

"Argol, 'dach chi wedi codi'n fora, Hari."

"Isio rhoi syrpreis peth cynta i chi."

"Syrpreis?"

"Dewch yma am funud bach."

"Ond dwi yn fy nhrô ..."

Cyn i Rhys gael cyfle i'w holi ymhellach, roedd Hari'n brasgamu i gyfeiriad maes parcio'r capel, a doedd gan Rhys

94

ddim dewis ond tynnu pâr o drowsus amdano a mentro allan yn nhraed ei sanau. Wedi iddo droi'r gornel cafodd gryn syndod o weld Audi TT Quattro du *convertible* newydd sbon yn sefyll ar faes parcio'r capel. Er nad oedd Rhys yn gwybod fawr o ddim am geir, gwyddai'n iawn bod hwn yn sleifar o gar a'i fod wedi costio ceiniog a dima i Gresyn.

"Neis iawn, Hari. Beryg fydd y genod i gyd ar eich hôl chi rŵan."

"Falla wir, ond nid y fi sy bia fo."

"Pwy sy bia fo 'ta?"

"Chi."

"Y fi?"

"Ia, 'dach chi'n licio fo?"

"Wel …"

"Os nad ydach chi'n licio'r lliw, alla i ofyn i'r garej …"

"Daliwch eich dŵr am funud rŵan. Be 'dach chi'n feddwl wrth ddweud mai fi sy bia hwn?"

"Be am i ni ei alw fo'n arwydd o'n gwerthfawrogiad ni am eich gwasanaeth i Soar? Wedi'r cwbwl, 'dach chi wedi bod efo ni am bron i wyth mlynedd rŵan. Fe gafodd Adrian Jones wasanaeth arbennig o ddiolch yn Hebron ac anrheg mis diwetha a dim ond am bum mlynedd mae o wedi bod yno."

"Ia, ond cloc gafodd Adrian, ac mi fu raid iddo brynu'r batris ei hun."

"Wel, ma pawb yn gwbod nad ydi Adrian yn fawr o gop fel gweinidog, tydi? 'Dach chi'n haeddu rhywbeth llawer gwell."

"'Dach chi rioed yn trio rhoi pwysa arna i i arwyddo'r cytundeb 'na, Hari?"

"Ylwch, Rhys, dwi wedi bod yn meddwl lot am yr hyn ddudoch chi'r noson o'r blaen. Dwi'n gwbod nad ydan ni wedi gweld llygad yn lygad yn ddiweddar, ond dwi'n awyddus ein bod yn trio rhoi'r hen gecru annifyr 'na y tu cefn i ni a dechra efo llechan lân. Dwi'n trio 'ngora i gymodi fan hyn, Rhys."

"Ia, wn i, sori."

Edrychodd Rhys ar y car cyn troi i edrych ar ei Volvo oedd

wedi parcio'r ochr draw i'r fynwent. Roedd fel cymharu Barbara Cartland â Britney Spears. Parablai Hari bymtheg i'r dwsin wrth sôn am rinweddau'r Audi, gan ddatgan mai'r unig amod oedd bod logo'r garej yn cael ei ddangos ar *spoiler* cefn y car, ynghyd â'r geiriau: 'Yn enw Audi, Soar a Garej Garth. Y tri yn un a'r un yn dri.' Doedd Rhys ddim yn teimlo'n gwbl gyfforddus gyda geiriad y logo, ond gwyddai Hari ble roedd man gwan ei weinidog. Pwysodd fotwm ar y teclyn yn ei law, a chyda fflach o oleuadau agorodd ddrysau'r car.

Roedd ogla lledr newydd y tu mewn, a sylwodd Rhys ar y chwaraewr cryno-ddisgiau, tra bod Gresyn yn awyddus i ddynnu'i sylw at y *tracker* a restrai leoliad pob capel yng Nghymru, gan olygu y gallai gynnig arweiniad i'r gweinidog pe bai'n mynd ar goll wrth fynd o amgylch y wlad i bregethu. Setlodd Rhys yn ei sedd a chynigiodd Hari y dylent fynd am sbin rownd y dre i weld a oedd y car newydd yn plesio. Wrth newid o'r trydydd i'r pedwerydd gêr, teimlai Rhys fel pe bai'n rasio ochr yn ochr â Schumacher yn Monaco yn hytrach nag ar gyrion Llanaber – roedd injan yr Audi mor gyflym ac eto mor ddistaw.

"Dwi'n cymryd eich bod yn ei hoffi o, felly?"

"Ei hoffi o? Hari bach, nid hoffi ydi'r gair … dwi 'di gwirioni."

Unwaith iddynt ddychwelyd i faes parcio'r capel aeth Rhys ar ei union i'r tŷ, llofnodi'r cytundeb a'i gynnig i Gresyn.

"Ylwch, Rhys, nid dyna pam gafoch chi'r car 'ma. Dwi'm isio i chi feddwl am eiliad mod i'n rhoi pwysau arnoch chi i arwyddo hwn. Tydw i ddim o gwbl. 'Sa well gin i tasa chi'n cymryd …"

"Hari bach, rhowch y gorau i boeni. Dwi 'di llofnodi hwn am mod i isio, iawn? Dwi'n gwbod mod i'n medru bod yn un digon anodd i gydweithio efo fo. Falla dyliwn i werthfawrogi be sgin i yn yr hen fyd 'ma tipyn bach mwy."

Estynnodd Gresyn ei law, ac wedi wyth mlynedd o ddrwgdybio a diawlio, gwelwyd trysorydd a gweinidog Soar

Llanaber yn ysgwyd llaw yn wresog ac yn cymodi'n frwd.

"Sgynnoch chi ddim syniad pa mor falch ydw i, Rhys. Fyddwch chi ddim yn difaru dim, dwi'n addo i chi."

Ni allai Rhys stopio'i hun rhag troi'n ôl a chael sbec arall ar y car. Gwenodd yn hunanfodlon wrth edrych ar rif y car: 'DUW UN'. Am y tro cyntaf yn ei fywyd gallai Rhys ddangos i'w ffrindiau a'r byd fod yna fanteision o fod yn y weinidogaeth.

A hithau'n bwrw glaw, penderfynodd Rhys roi syrpreis bach i Llinos a mynd draw i'r ysgol i'w nôl yn y car newydd. Parciodd yn dwt wrth ymyl y palmant ger y fynedfa a phan oedd Llinos newydd gerdded heibio, yn llusgo bag yn llawn o lyfrau plant wrth ei hochr, chwibanodd Rhys yn awgrymog.

"Hei pishyn, ti isio lifft?"

Trodd Llinos gyda'r bwriad o godi dau fys ar y ploncar oedd yn trio dangos ei hun mewn car swanc. Cafodd sioc o weld Rhys yn gwenu'n ddireidus arni.

"Be uffar ti'n neud yn y car 'na?"

"Trio pigo ryw lefran eitha handi fyny ar ochr stryd. Ti'n meddwl bod gin i jans?"

"Callia ac ateba fi'n iawn."

"Tyd i fochal rhag y glaw 'ma ac mi dduda i wrtha chdi."

Wrth iddi eistedd, pwysodd Rhys fotwm oedd yn graddol gynhesu sedd Llinos. Taniodd yr injan a gwenodd yn smala ar ei gariad.

"Wel, ti'n licio fo?"

"Ti am ddeud wrtha i be sy'n mynd mlaen?"

"Gresyn a'r capel sydd wedi'i brynu o i fi."

"Be? Ers pryd?"

"Bore 'ma. Wel, bore 'ma ddoth o â fo draw o leia. Wel, be ti'n feddwl? Sbia, 'sat ti'n digwydd pwyso'r botwm yna fe weli di bod …"

"Rhys, ma gin ti gar yn barod."

"Y rhacsyn Volvo 'na? Twt, ar ôl hwn geith Sain Ffagan ei

gal o gin i."

"Be 'di hwn, breib i dy gal di i arwyddo'r cytundeb?"

"Asu, pwy sy 'di dwyn dy bwdin di heddiw? Rho'r gora i dy gwyno – ti mor debyg i dy fam weithiau."

"Rho ditha'r gora i yrru fel ffŵl 'ta."

"Aros di nes mod i'n cyrradd y chweched gêr i ti gal gweld be ydi sbîd go-iawn. Gwena, Llinos fach, gwena!"

'Cytundeb newydd, car newydd, pregeth newydd.' Wedi misoedd o ailgylchu pregethau, teimlai Rhys y dylai geisio gwneud ymdrech i lunio pregeth newydd sbon danlli, pregeth i greu argraff i gyd-fynd â'r car newydd. Cododd yn gynnar gyda'r bwriad o fynd ati i sgwennu, ond prin ei fod wedi teipio'r paragraff cyntaf pan ganodd y ffôn.

"Mr Rhys Roberts?"

"Ia."

"Beti Davies o'r Academi. Dim ond i adael i chi wybod y bydd y pecyn yn eich cyrraedd tua amser cinio gyda lwc."

"Pecyn?"

"Ia, mae ugain llyfr yno i gyd, ond, wrth gwrs, mi fyddwch chi 'di laru ar tua'u hanner nhw erbyn i chi gyrraedd diwedd y cyflwyniad."

Roedd chwerthiniad Beti Davies yn ymdebygu i un yr anfarwol Tommy Cooper, ond mae'n amlwg iddi ddifaru dweud y ffasiwn beth achos daeth y chwerthiniad i ben bron yn syth a dychwelodd y tinc awdurdodol, difrifol i'w llais.

"Jôc, wrth gwrs – peidiwch â deud wrth neb mod i wedi deud y ffasiwn beth, ond ma'n rhaid cael hiwmor yn yr hen fyd 'ma 'toes – yn enwedig os 'dach chi'n gweithio yn fy maes i."

"Ylwch, Mrs Davies …"

"Ms Davics."

"Sori, Ms Davies, sgin i'm clem am be 'dach chi'n sôn."

"Wel am gystadleuaeth Llyfr y Flwyddyn, siŵr! Gafodd un o'n staff ni ar ddeall gan ei hewythr, Mr Hari Evans, y byddech chi'n fodlon bod yn feirniad."

"Be?"

"'Dan ni mor falch eich bod wedi gwirfoddoli i neud y gwaith mor hwyr yn y dydd fel hyn. Plîs peidiwch â chymryd hyn y ffor rong, ond gan bod Dr John Hirst yn y carchar roeddan ni mewn dipyn o gyfyng-gyngor."

"Jêl?"

"Glywsoch chi ddim ar y teledu? Nid 'yn lle i ydi deud dim, ond dwi wedi darllen y ddau lyfr, a rhyngtha chi a fi mae 'na lot o debygrwydd. Ond dyna ni, mae o yn y carchar rŵan. Beryg y dysgith hynna iddo beidio copïo gwaith pobl erill eto. Ta waeth, dwi'n crwydro unwaith eto. Diolch o galon i chi am gytuno i gymryd ei le; mae'n fraint i ni ac i'r rheiny sy'n trio'u gora i sgwennu."

"Ia, ond tydw i'm yn gymwys ..."

"Twt, 'dio'm yn talu i chi fod yn *modest* heddiw, Mr Roberts – 'dach chi'n enwog a ma gynnoch chi bâr o lygaid, felly 'dach chi'n fwy na chymwys. Cawn air yn fuan. Hwyl i chi rŵan."

Am ychydig doedd Rhys ddim yn gwbl sicr ai wedi breuddwydio'r sgwrs yr oedd, ond gan ei fod yn awyddus i sgwennu'i bregeth penderfynodd anghofio am Beti Davies a'i chwerthiniad heintus. Fodd bynnag, fel yr oedd ar fin ailddechrau teipio, canodd cloch y tŷ. Rhegodd Rhys cyn diffodd y cyfrifiadur yn ddiamynedd a mentro i lawr y grisiau. Agorodd y drws a gweld Eric Post yn gwegian dan bwysau bocs anferthol. Wedi iddo dorri'i enw ar ddarn o bapur, llusgodd Rhys y pecyn i'r lolfa ac edrych ar rai o'r teitlau. Roedd llythyr gan y Ms Beti Davies y bu'n sgwrsio â hi ychydig funudau ynghynt yng ngwaelod y bocs, yn ei hysbysu ei fod i gwrdd â'i gyd-feirniaid o fewn pythefnos. Gyda'r ohebiaeth roedd dwy ffurflen A4, y gyntaf iddo sgwennu'i feirniadaeth derfynol arni, a'r ail yn rhestru pob llyfr oedd yn y bocs, gyda blwch gwag gyferbyn â phob un fel y gallai Rhys roi'i sylwadau arnynt. Aeth Rhys ati i bori dros y llyfrau.

Y Goedan Plyms yng Ngardd Nain – casgliad o gerddi gan T. O. Williams – oedd y llyfr cyntaf. Roedd y clawr yn ddigon i godi'r felan ar unrhyw un – di-liw a diddychymyg; adlewyrchiad digon teg o'r cynnwys. Darllenodd Rhys bennill o'r gerdd gyntaf:

Dwi'n cofio'r flwyddyn *sixty-nine*
Cael gweld coedan plyms yn nhŷ fy nain;
Treulio oriau yn gneud jam
Oedd yn blasu'n well na'i Spam.

Wrth edrych ar y clawr cafodd Rhys wybod bod y bonheddwr Williams wedi cael nawdd i deithio o amgylch Outer Mongolia am ddwy flynedd er mwyn chwilio am yr awen a'r ysbrydoliaeth i ysgrifennu'r gyfrol arbennig hon. Cydiodd Rhys mewn beiro ac ysgrifennu yn y blwch gyferbyn â theitl y gyfrol o farddoniaeth: 'O leia mae'n fyr – un allan o ddeg.'

Y Fi a Hollywood: Hunangofiant Deirdrie Evans oedd y gyfrol nesaf. Ceisiodd Rhys gofio pwy goblyn oedd Deirdrie Evans. Darllenodd y rhagair, lle roedd Deirdrie yn treulio deg tudalen yn diolch i bawb yn y byd a'i nain, o'r dyn garej a drwsiodd *fan belt* ei char yn 1957 i Steven Spielberg am ei gefnogaeth a'i ysbrydoliaeth. Chwiliodd am y feiro eto. 'Rhy hir o beth cythral, ac mae 'i hanner o'n swnio fel clwydda. Chlywis i rioed o'r blaen mai'r Deirdrie 'ma oedd yn gyfrifol am chwalu priodas gynta Richard Burton a Liz Taylor. Hanner allan o ddeg, mae o'n handi i ddal y drws yn gorad.'

Y Cysylltiad rhwng yr Acen Grom yn y Gymraeg â'r Atalnod Llawn yn yr Hebraeg ddaeth wedyn. Astudiaeth academaidd a gymerodd bron i bymtheg mlynedd i'r Athro Emeritws Graham Michael ei chwblhau, a llyfr y mis yn ôl y sticer bach coch ar y clawr. Ni allai Rhys ddeall y broliant ar gefn y gyfrol, heb sôn am gynnwys y llyfr ei hun. 'Bron i saith cant o ddudalennau, a'r un llun ar gyfyl y gyfrol – diflas ar y naw. Un allan o ddeg, ond o leia mae'n fwy effeithiol na thabledi cysgu.'

Wedi tair awr o ddarllen, neu'n hytrach o sbecian drwy'r cyfrolau, edrychodd Rhys ar y blychau oedd ar y dudalen A4. Dau air oedd yn nodweddu'i sylwadau – *crap* a diflas. Doedd ganddo ddim bwriad gwastraffu'i egni yn llunio'i feirniadaeth derfynol. Ac eithrio un llyfr, doedd yr un o'r casgliad yn haeddu'r ymdrech na'r inc, felly cododd y ffôn er mwyn cysylltu gyda'i gyd-feirniaid. Yn anffodus iddo ef, doedd y gwybodusion llengar ddim adref, ac felly gadawodd neges ar eu peiriannau

"Sori i'ch trwblo chi, ond Rhys Roberts ydw i, ac mae'n debyg eich bod chi'n cyd-feirniadu Llyfr y Flwyddyn efo mi. Dwi wedi'u darllen nhw, a dwi'n meddwl eu bod nhw i gyd yn uffernol. Dim ond un sydd o unrhyw werth, a *Sali Mali'n Mynd i'r Traeth* ydi hwnnw. Ma'n debyg 'sa'n well i ni gyfarfod rywbryd, fel ein bod ni'n medru cyfiawnhau'n ffi. Ffoniwch fi i drefnu dyddiad a ballu. Ta-ta."

Wrth iddo roi'r derbynnydd i lawr, daeth Llinos i mewn i'r tŷ. Bu hithau'n ddiwyd drwy'r bore gyda blwyddyn chwech, ac roedd wedi meddwl mai braf o beth fyddai cael seibiant bach, dianc o'r ysgol a rhannu brechdan caws a thomato efo Rhys. Aeth yn syth am yr oergell a chwilio am y *brie*.

"Pwy oedd ar y ffôn?"

"Neb, fi oedd yn trio ffonio Alan Llwyd ac Angharad Price."

"Be? Paid â deud eu bod nhw isio dod yn aeloda o Soar?"

"Nac'dyn, wel, dim i mi wbod o leia. Na, nhw sy'n beirniadu cystadleuaeth Llyfr y Flwyddyn efo fi."

"Chdi? Ond ti'm 'di darllen llyfr ers blynyddoedd."

"Dwi'n gwbod hynna, ond ma'n debyg bod gin Hari nith neu rywun yn yr Academi, a'i fod o wedi cynnig fy enw i neu rwbath. Dwi'm yn dallt yn iawn fy hun."

"Ti'n dallt digon ar lyfra i benderfynu pa un ydi'r gora?"

"Gin i hawl i 'marn fel pawb arall."

"Oes debyg. Ti 'di dechra'u darllen nhw?"

"Do, ac wedi'u gorffen nhw."

"Be, i gyd?"

"Ia, oedd eu hanner nhw'n *crap*, a'r gweddill yn waeth."

"Lle ma nhw gin ti?"

"Yn fan'cw, yn ymyl y teledu."

Cerddodd Llinos draw i'r lolfa a sbecian i mewn i'r bocs. Bodiodd ambell i glawr llyfr yn sydyn, ond crwydrodd ei llygaid at y darn papur oedd yn cynnwys sylwadau Rhys am y llyfrau.

"Blydi hel, Rhys, alli di'm deud hynna am lyfr Graham Michael – mae'r boi'n cael ei ystyried yn arbenigwr rhyngwladol yn ei faes."

"Dio'm ots gin i, mae'i lyfr o'n anobeithiol o ddiflas – 'swn i'm yn sychu …"

"Mi fydd pobl yn siŵr o chwerthin am dy ben di."

"Na fyddan tad – mae pobl yn parchu 'marn i. Rŵan, ma raid i fi fynd. Wela i di."

"Lle ti'n mynd?"

"Bryn Hedd – ma Hannah Edwards yn wael."

"Ers pryd?"

"Ers dechra'r wythnos."

"Ddudis di ddim byd wrtha i."

"Sori, ma raid mod i wedi anghofio."

"Be sy 'di digwydd i'r graduras, strôc?"

"Na, debyg bod rywun wedi rhoi gwenwyn llygod yn ei the hi mewn camgymeriad."

Ar hynny, cychwynnodd Rhys am gartre'r henoed, gan adael Llinos ar ei phen ei hun yn bwyta'i brechdan *brie* ac yn pori drwy'r llyfrau.

Ac yntau i gael dillad newydd fel rhan o'i gytundeb, hysbyswyd Rhys gan Gresyn eu bod ill dau am fynd i siopa i Gaer. Awgrymodd Rhys y byddai Llandudno yn hen ddigon da, ond mynnodd y blaenor mai yn Lloegr yr oedd y brethyn gorau i'w gael. O leiaf roedd yn esgus i Rhys gael trip ymhellach na chyrion Llanaber yn yr Audi.

Fel roedd Rhys yn cloi drws y tŷ capel, daeth Meri Daz drwy'r giât, yn fyr ei gwynt ac yn laddar o chwys wedi iddi gario llond bag bin du o'i ddillad drwy'r pentref.

"Dwi'n gwybod bod chi'n slim ac yn fawr o beth, ond pan 'dach chi'n rhoi ugain o'ch tronsia at ei gilydd, buan mae'r bag yn mynd yn drwm."

"Diolch i chi, 'swn i wedi dod draw i'w nôl nhw 'sa chi ond 'di ffonio."

"Peidiwch â phoeni dim, fydda i'n iawn yn y munud."

"Tydi Dafydd ddim efo chi?"

"Ma'r diawl fan 'na sgynno fo wedi methu'r MOT ddoe – sôn am regi, oedd gin i gwilydd mod i'n briod efo'r ffasiwn ddyn. Pan o'n i'n gadal y tŷ gynna roedd hanner ei din o'n sticio allan i'r stryd wrth iddo drio neud rhywbeth dan y bonat. Gweld bod gynnoch chi gar newydd."

Wrth i Rhys ailagor y drws y tŷ, a rhoi'r bag yn y cyntedd, ceisiodd Meri fachu ar ei chyfle.

"Panad a sgwrs 'sa'n dda. Tydw i'm 'di cal clonc iawn efo chi ers sbel."

"'Swn i wrth fy modd, Meri, ond dwi ar gychwyn allan – dwi'n mynd i siopa."

"Siopa? Tydi Llinos ddim yn gweithio heddiw neu rwbath?"

"Na, nid ..."

"Bore da, chi'ch dau, yn tydi hi'n fore bendigedig o braf?"

Trodd Meri i weld Gresyn yn sefyll y tu cefn iddynt wedi ei wisgo mewn siwt *tweed*, sbectol haul frown a sgarff fawr felen o amgylch ei wddw. Crychodd Meri ei thrwyn a diflannodd yr anwyldeb o'i llais.

"Dew, wyddwn i ddim 'i bod hi'n garnifal yn y lle 'ma heddiw. Pwy 'dach chi'n drio bod, Hari? Biggles?"

"A bore da i chitha hefyd, Mrs Defis. Sut ma'r annwyl ŵr 'na sgynnoch chi?"

"Iawn. Sdim pwynt i chi ddod yma i boeni Rhys bach, mae o ar fin mynd i siopa."

"Dwi'n gwbod – y fi sy'n mynd efo fo."

Edrychodd Daz yn syn ar ei gweinidog, ac am ryw reswm neu'i gilydd teimlodd Rhys reidrwydd i geisio esbonio.

"Dwi angen cwpwl o betha i'r capel, a gan ma Hari ydi'r trysorydd ..."

"Tydi amser yn beth od, dudwch? Wel, dyna ni 'ta, peidiwch â gadal i mi'ch cadw chi ..."

"Ga i roi lifft adra i chi, Meri?" cynigiodd Rhys yn wantan.

"Dim diolch. Prin bod 'na le i dair chwannen yn y car 'na sgynnoch chi, heb sôn am ni'n tri. P'run bynnag, dwi'n meddwl 'sa'n well gin i gerdded."

Ac ar hynny trodd Daz ar ei sawdl a'i heglu hi nôl am adre, gan adael Rhys yn teimlo'n ddigon annifyr. Er, buan y diflannodd y teimlad hwnnw wrth iddo gael y cyfle i ddangos rhinweddau ei injan dwy litr ar a hanner wrth deithio ar hyd yr A55, a chyda'r haul yn gwenu, to'r car i lawr a sgarff Gresyn yn chwyrlïo fel baner, cyrhaeddodd y ddau ganol Caer mewn dim o amser.

Yn gwbl wahanol i Llinos, doedd gan Rhys fawr o amynedd gyda dillad a siopa, ac felly roedd yn fwy na pharod i bicio mewn i Burton's a dewis siwt a chrys neu ddau cyn neidio nôl mewn i'r Audi. Fodd bynnag, roedd gan Hari safbwynt tra gwahanol, a chan mai ef oedd â'r llyfr siec yn ei boced, rhoddodd daw ar brotestiadau Rhys yn ddigon buan. Erbyn cinio, roedd gan Rhys bedair siwt Armani, hanner dwsin o grysau Versace a deg tei sidan newydd.

Amharod ar y naw oedd Rhys i fynd i ddilyn Hari i salon Tony & Guy i gael torri'i wallt, ond pan eglurodd hwnnw wrtho mai syniad Brenda oedd hynny, a'i bod yn talu'r gost o'i phoced ei hunan, teimlodd Rhys reidrwydd i gydsynio. Cyn hynny, pum punt oedd y *trim* druta iddo'i gael, ac er bod Brenda wedi hysbysu'r *chief stylist* y dylai roi ychydig o *blonde highlights* yng ngwallt ei gweinidog, mynnodd Rhys y byddai *cut and style* gwerth deugain punt yn fwy na digon.

Wrth deithio'n ôl yn y car, awgrymodd Gresyn y dylent osod y to ar y car, rhag difetha'r draenog llawn *gel* oedd yn eistedd ar gorun Rhys.

"Sgynno chi ddim syniad pa mor ddiolchgar ydw i, Hari."

"Twt, anghofiwch amdano fo – tydi o'n ddim byd, a 'dach chi'n ei haeddu o."

"Dwn i'm am hynny, ond dwi yn ei werthfawrogi."

"Wn i hynny. Dudwch i mi, sut ma Catrin? 'Dach chi 'di clywed rhywbeth yn ddiweddar?"

"Ffoniodd Llinos nhw ddechrau'r wythnos. Mae'n debyg eu bod nhw wedi canfod *match* ar gyfer y trawsblaniad ac yn disgwyl cael gneud y driniaeth o fewn y dyddiau nesaf yma."

"Dwi'n falch iawn o glywad hynna. Ma meddwl be ma'r hogan fach 'na wedi bod drwyddo'n rhoi popeth mewn perspectif rywffordd, tydi?"

Wrth glywed y ffasiwn eiriau, fe fu bron i Rhys golli rheolaeth ar y car am eiliad. Ai dyma ffordd Gresyn o gydnabod ei fod ef a Brenda wedi bod yn gwbl anghywir ynghylch y busnes loteri hwnnw? Mae'n amlwg bod Gresyn wedi synhwyro syndod Rhys o'i glywed yn siarad mor agored, felly aeth yn ei flaen i ymhelaethu.

"'Dach chi'n edrych fel tasa chi 'di cal sioc, Rhys. Be sy? Ddim 'di disgwyl 'swn i'n disgyn ar fy mai a chydnabod mod i 'di bod yn anghywir?"

"Naci … wel … ia, falla."

"Wel, 'dach chi'n iawn. Fydda i ddim yn gneud y ffasiwn beth yn aml. Ond dyna pam mae gen i a Brenda gymint o barch tuag ata chi. Mi roion ni amser caled ar y naw i chi, ond fe lynoch chi'n driw at eich safiad, ac ar ddiwedd y dydd chi oedd yn iawn – a sgin i'm ofn deud hynny."

"Pawb yn gneud camgymeriada weithia."

"Ydyn debyg, ond dyna pam mod i mor falch eich bod chi wedi arwyddo'r cytundeb 'na a sticio hefo ni. 'Dan ni'n siŵr o gael y maen i'r wal rŵan a dangos i bobl werth Soar a Christ yn eu bywyda cfo chi wrth ein hochr."

"'Dach chi'n meddwl?"

"Yn saff i chi. Ma gynnoch chi ryw ddawn i gael pobl i wrando arnoch chi. 'Dach chi'n amlwg yn ddyn doeth, yn egwyddorol. Fel mae'r cyfrynga yn ei ddeud bob munud, dyna be ma pobl isio dyddia yma – arweinydd cry, rhywun sydd â ffydd y bobl. Llais y dyn cyffredin – dyna be ydach chi."

Gyda'r fath glod, teimlai Rhys falchder ynddo'i hun. O'r diwedd, efallai bod ei waith yn Soar yn dechrau dwyn ffrwyth. Roedd hyd yn oed rhywun mor galongaled â Gresyn yn dechrau gwerthfawrogi ei ymroddiad i'r achos.

"Argol Hari, gewch chi'r joban o sgwennu'r deyrnged yn *Y Goleuad* ar ôl mi farw os 'dach chi isio!"

"Marw? Peidiwch â sôn am y ffasiwn beth. Mae gynnoch chi lot o waith rhoi Soar ar y map cyn y daw y dydd hwnnw. Dwi wedi deud ers blynyddoedd mai gwendid nifer fawr o weinidogion y dyddia hyn ydi pregethu gyda'u trwyna'n styc yn y Beibl. Dwi'n gwbod ma hwnnw ydi'n llawlyfr ni'r Cristnogion, ond mae'r rhan fwyaf yn cydio ynddo fo fel gefel tra'n pregethu ac mae o'n medru bod yn goblyn o ddiflas i'w glywed bob wsnos. Mi o'n i'n poeni eich bod chitha'n mynd lawr yr un lôn, ond wir i chi, 'dach chi wedi cael ryw hyder newydd i bregethu o'r frest, ac, fel mae nifer ein cynulleidfaoedd yn tystio, mae o'n gweithio'n wych, tydi?"

Roedd y daith hon yn agoriad llygad i Rhys. Nid yn unig roedd wedi sylweddoli gymaint yn wahanol y gall dyn deimlo wrth gael brethyn da yn amgylchynu'i gorff, heb sôn am ddôs go helaeth o *gel* Tony & Guy yn ei wallt, ond roedd hefyd yn gweld agwedd gwbl newydd yng nghymeriad ei drysorydd. Nid rhyw fwbach llwydaidd oedd yn hidio am ddim ond llog a phunnoedd ydoedd Hari wedi'r cwbwl, ond rhywun oedd yn meddu ar feddwl digon chwim a chraff i ddadansoddi ffaeleddau a rhinweddau pregethwyr y Gymru gyfoes. Teimlai Rhys yn falch wrth feddwl bod cynnwys ei bregethau diweddar wedi bod yn symbyliad ac yn ysbrydoliaeth i'w drysorydd. Yn naturiol ddigon, roedd wedi darllen adolygiadau o'i bregethau yn *Y Tyst, Cristion* a'r *Daily Sport* ac roedd yn rhyw led-obeithio bod y ganmoliaeth a'r clod yn ddidwyll, ond roedd clywed y fath beth o enau'i drysorydd yn werth cant a rhagor o adolygiadau ffafriol. Parhaodd y trysorydd i fwydo ego'i weinidog.

"Dyna pam dwi'n awyddus i chi gario ymlaen i neud petha da y tu hwnt i furiau'r capel hefyd. Mae o'n amlwg yn ehangu'ch gorwelion ac yn gwneud lles mawr i chi."

"'Dach chi'n meddwl?"

"Gwbod, nid meddwl, Rhys. Cymerwch chi fy nith – roedd hi wedi gwirioni ar eich sylwadau ar gystadleuaeth Llyfr y Flwyddyn."

"Ydi hi 'di gal o'n barod? Ddudodd Llinos 'sa hi'n ei bostio fo i mi."

"Wir i chi, roedd pawb yn y swyddfa lle mae hi'n gweithio wedi rhyfeddu at eich dawn dweud."

"Sy'n fwy na alla i ddeud am awduron y llyfrau eu hunain."

"Wel, yn union, Rhys – mae lot o bobl yn y wlad 'ma'n dda iawn am roi'r argraff eu bod nhw'n glyfar a doeth, ond tydi eu hanner nhw ddim yn medru cyfri i ddeg heb sôn am roi brawddeg dwt at ei gilydd. Blŷff ydi'r cyfan, a dyna pam eich bod chi mor bwysig – 'dach chi'n ddyn amryddawn sy'n gwbod eich stwff."

"Wel …"

"Dyna pam dwi wedi cynnig eich enw i feirniadu'r goron a'r gadair yn yr Eisteddfod Genedlaethol y flwyddyn nesaf."

"Be?"

"Fydd o'n gyfla da i chi gael rhagor o gyhoeddusrwydd, ac mi fydd yn gosod Soar ar y map llenyddol 'run pryd."

"Ond tydw i ddim yn medru barddoni."

"Twt, pwy sylwith? Un o'r siwtiau Armani 'ma a thei sidan ac mi fyddwch chi gystal ag unrhyw un. Ac os fyddwch chi isio fy marn i, fydda i ond yn rhy falch o'i rhoi. Oeddach chi'n gwbod mod i wedi cael trydydd ar yr englyn digri yn Eisteddfod Môn yn 1976?"

"Mae'n braf iawn clywad bod gynnoch chi gymint o hyder yndda i, ond wir i chi, alla i'm beirniadu. Tydw i'm hyd yn oed wedi graddio yn y Gymraeg. Hogyn o'r wlad dwi sy'n ..."

"Ia, ac mae hynny'n fy atgoffa i – rhag ofn i chi gal galwad gin rywun o ochra Builth 'na, dwi wedi cynnig eich enw i feirniadu yn y Royal Welsh hefyd. Er gwaetha be ma nhw'n ddeud, ma'r ffermwyr 'ma'n gyfoethog ar y naw, a 'sa ni'n cal ambell un o'r rheiny'n aeloda 'cw mi fasa'r coffra dipyn iachach."

"Hari, tydw i'm yn gwbod uffar o ddim byd am wartheg a defaid."

"Mae'n braf clywed hynny – nid pob gweinidog all ddeud y ffasiwn beth. Ddarllenoch chi'r adroddiad yn papur am hanes y gweinidog Wesla 'na yn y gorllewin? Sobor o beth."

"Ylwch Hari, dwi'n gwbod eich bod chi'n awyddus i gael sylw i Soar a ballu, ond ma raid i chi beidio rhoi'n enw i ymlaen i feirniadau yn y petha 'ma. Dwi'm yn ddigon cymwys i neud ..."

"Rhys, ma'n hen bryd i chi sylweddoli gymint o allu a thalent sgynnoch chi – 'dach chi'n amhrisiadwy. 'Dach chi'n weinidog yn Soar ac yn gymwys i neud popeth. Rŵan, dim mwy o'r nonsens hyn, a rhowch eich troed i lawr. Dwi isio bod adra cyn i *Countdown* gychwyn – 'dach chi wedi gweld y siâp sydd ar y Carol Vorderman 'na? Tasa chi'n cal honna i ymaelodi â Soar, mi fasa chi'n siŵr o gael codiad. Yn eich cyflog, wrth gwrs."

'Rhyfeddol' oedd yr unig air oedd yn bownsio ym mhen Rhys wrth iddo yrru'i drysorydd adref ar gyfer ei sbri gyda Carol a'i llafariaid.

Ers blynyddoedd ni fu'n rhaid i Rhys boeni am gynnal dosbarthiadau derbyn fel rhan o'i ddyletswyddau bugeiliol. Er yr ystyrid dwsin o blant yn ffigwr reit iach o safbwynt yr Ysgol Sul, roedd y mwyafrif helaeth ohonynt yn cael eu gorfodi i fynychu gan eu rhieni, oedd yn awyddus i gael awr o hoe fach ar brynhawn Sul. Yn sicr, erbyn i'r plant hynny gyrraedd eu harddegau doedd ganddyn nhw ddim diddordeb mewn crefydd na chapel. Nid ffenomen unigryw i genhedlaeth ifanc Llanaber oedd difaterwch o'r fath. Yn ystod y pum mlynedd diwethaf roedd y seiat, cylch y brodyr a chyfarfod y chwiorydd wedi mynd i ebargofiant.

Fodd bynnag, gydag adfywiad Soar yn parhau i fynd o nerth i nerth, daeth hi'n ofynnol i Rhys baratoi ar gyfer ei ddosbarth derbyn cyntaf ers rhai blynyddoedd. Roedd pump wedi mynegi diddordeb mewn cael eu derbyn – neu, a bod yn fanwl gywir, roedd rhieni pump o bobl ifanc Llanaber wedi penderfynu mai da o beth fyddai i'w plant gael rhoi ar eu ffurflenni UCAS eu bod yn gyflawn aelodau o Gapel Soar.

Teimlai Rhys yn ddigon nerfus ac ansicr gan ei bod yn sbelan ers iddo gynnal dosbarthiadau o'r fath. Gwyddai nad oedd diben iddo geisio trafod dadleuon a theorïau athronyddol neu ddiwinyddol. Yn hytrach, roedd angen iddo geisio gwneud crefydd a ffydd yn bethau y gallai'r bobl ifanc uniaethu â hwy. Petai Rhys yn gwbl onest, roedd hynny'n ei blesio i'r dim. Cofiai fel y bu iddo wrando ar ei ddarlithwyr coleg yn traddodi'n gwbl ddisynnwyr am theorïau ysgolheigion megis Schwarz a Heiberg, a cherdded o'r ystafell heb fod mymryn callach ynglŷn â chynnwys y darlithoedd hynny.

Er hynny, wrth eistedd i wynebu Steve, Sharon, Kev, Jenny a Magdalena ar y nos Wener honno, cafodd Rhys deimlad na fyddai'r tri-chwarter awr nesaf yn rhwydd. Wrth eu holi'n gyffredinol ynglŷn â chynnwys gwersi astudiaethau crefyddol yn yr ysgol, synnodd Rhys pan soniodd Kev eu bod wedi trafod

Mecca. Yn anffodus, drylliwyd optimistiaeth y gweinidog pan gyfaddefodd y llanc pymtheg oed nad oedd ganddo unrhyw glem beth oedd arwyddocâd yr enw ac mai'r unig reswm yr oedd yn ei gofio oedd oherwydd iddo golli ugain punt yn Mecca Bookmakers y dydd Sadwrn blaenorol.

Yn ei awydd i sicrhau nad oedd yn syrffedu'r criw ifanc, roedd Rhys wedi gofyn i Llinos am ei chyngor ynghylch sut orau i'w trin. Llwyddodd hithau i argyhoeddi'i chariad o bwysigrwydd sgiliau cyfathrebu a'r egwyddor sylfaenol o wneud i'r bobl ifanc deimlo'n gyfforddus, gan roi digon o gyfle iddynt ofyn cwestiynau er mwyn cynyddu'u hyder. Nid oedd Rhys ar unrhyw gyfri i chwerthin ar ben eu cwestiynau, na chwaith i ddweud eu bod yn anghywir. Gan ddilyn cyngor Llinos yn ofalus, ceisiodd Rhys ddechrau'r cyfarfod yn gwbl anffurfiol trwy ofyn a oeddynt wedi cael cyfle i feddwl am gwestiynau ar ei gyfer. Aeth eiliadau o dawelwch annifyr heibio wrth i'r pump syllu arno'n gwbl ddi-hid a di-glem, cyn i Rhys geisio eu hannog i fod yn agored.

"Sdim isio i chi fod yn swil – ryw sgwrs anffurfiol ydi hon, felly gofynnwch chi unrhyw beth 'dach chi isio."

"Tasa Iesu Grist yn dreifio heddiw, fasa well gynno fo Audi TT, fel chdi, neu Ferrari?"

"Oedd Pontius Peilot wedi treinio efo'r RAF?"

"P'run 'di gora ym marn Duw – Kylie neu Britney?"

"Pam bod nhw'n galw'r Môr Coch yn goch os 'na glas ydi o?"

"Ydi'r Koran yn debyg i Kerrang?"

Hei, gafodd Iesu Grist yr hasl yma efo'i ddisgyblion? Lle mae rhywun yn cychwyn efo'r rhain, Duda? Wel, be Ti'n feddwl? P'run ydi'r gora gin ti, Kylie neu Britney? Wel? Ia – 'na Chdi – o'n i'n ama 'sat Ti'n gadal i mi ddelio efo hyn ...

Edrychodd Rhys ar ei oriawr gan weddïo y byddai rhywun yn ei ffonio ar ei fobeil yn dweud bod Hannah Edwards ar ei gwely angau a'i bod yn dymuno cael y Fendith Olaf, ond yn ofer. Wedi ochneidio'n dawel, aeth ati i geisio cynnig ateb oedd yn ddiplomataidd os nad yn gyflawn.

"Wel, mae'r cwestiynau hynny i gyd yn rhai da iawn. A'r hyn dwi'n credu 'sa orau i neud ydi i chi gadw be 'dach chi'n feddwl ydi'r atebion cywir tan ein cyfarfod olaf un, ac wedyn gawn ni gymharu nodiadau, a gweld os fyddwn ni wedi newid ein meddyliau ar ôl cael ambell i drafodaeth. Iawn?"

Sylwodd ar y pump o'i flaen yn edrych yn ddigon dryslyd, a rhoddodd Rhys floedd o chwerthiniad mewnol.

Wel, be Ti'n feddwl o hynna 'ta? Da neu be? Dwn i'm pam bod yr holl athrawon 'ma'n cwyno pa mor anodd ydi hi arnyn nhw. Ma hyn yn hawdd.

Yn anffodus i Rhys, ni pharhaodd ei awch yn hir. Fe'i lloriwyd pan ofynnodd Kev iddo:

"Ydach chi ddim yn poeni o gwbl falla bod Duw yn *cheesed off* hefo chi am neud y loteri? Nain oedd isio gwbod, nid fi."

Pwy uffar ydi dy nain di, y bwbach hyll?

Er i Kev ddefnyddio ei nain druan fel esgus – oedd yn hynod o ddi-chwaeth o gofio ei bod wedi trengi ers pymtheg mlynedd – mae'n amlwg bod y pedwar arall wedi dyheu am ofyn cwestiwn o'r fath, ond mai Kev oedd yr unig un fuodd yn ddigon dewr i fentro. O ganlyniad, roedd Jenny'n meddwl ei fod hyd yn oed yn fwy o bishyn na chynt. Gallai Rhys glywed Llinos yn dweud wrtho am bwysigrwydd bod yn onest ac agored gyda hwy, felly doedd dim amdani ond mabwysiadu polisi o'r fath.

"Wel, Kevin …"

"Kev dwi, nid Kevin."

"O ia, sori. Wel, Kev, dwi'n meddwl bod hwnna'n gwestiwn da iawn, ac yn un dwi wedi'i ofyn i mi fy hun droeon yn ddiweddar. Falla bod chi 'di clywad i mi ddeud nad dyna oedd fy mwriad wrth sgwrsio efo Catrin – cal gêm o *Scrabble* oeddan ni a dim byd arall. Ond os ydi hynna wedi helpu Catrin i gal triniaeth ac i wella, yna 'swn i'n licio meddwl nad ydi Duw yn *cheesed off* hefo fi."

"*So*, fasa fo'n flin efo fi 'swn i'n rhoi *fiver* ar Golden Nugget yn y *three forty-five* yn Chepstow dydd Sadwrn?"

Pwy goblyn fu'n ddigon anffodus i dy genhedlu di, washi?

Dyma'r math o gwestiwn roedd rhai o'r *tabloids* wedi'i drafod, ac er bod Rhys wedi hen laru ar glywed dadl simplistig o'r fath, teimlai y dylai fod ychydig yn fwy goddefgar gyda Kev am ofyn y ffasiwn beth, ac roedd ar fin ceisio'i ateb pan achubodd Sharon y blaen arno.

"*For God's sake,* Kev, paid â bod yn gymint o dwat. Ma be nath Rhys yn hollol wahanol. Nid helpu'i hun i bres y loteri nath o, ond helpu rywun arall. Fasa ti'n cadw'r pres i gyd i ti dy hun tasa Golden be bynnag ydi enw'r ceffyl yn ennill – felly mi fasa Duw yn *cheesed off* efo chdi. Hynny yw, tasa 'na Dduw."

Cafodd Rhys dipyn o agoriad llygad wrth glywed ymateb Sharon. Er efallai nad oedd hi wedi mynegi ei dadleuon mor gelfydd â Schwarz a Heiberg, cododd nifer o bwyntiau athronyddol a diwinyddol, a bu'n ddigon o sbardun i'r pedwar arall drafod rhinweddau a ffaeleddau'r egwyddor o gynorthwyo'u cyd-ddyn am o leiaf ugain munud. Prin iawn oedd cyfraniad Rhys i weddill y drafodaeth, a chafodd gryn fwynhad o glywed a gweld y pump yn anghytuno a dadlau am ymarferoldeb y cysyniad o gamblo ac elusen. Wedi iddynt drefnu'r ail ddosbarth ymhen yr wythnos, roedd y criw ar fin gadael pan drodd Sharon at Rhys.

"O'n i *really* ddim isio dod yma pnawn 'ma, ond mae o wedi bod yn *okay* – dwi'n gwbod bod Taid dal yn flin efo chi am y busnes loteri 'na, ond dwi dal i ddeud bod chi'm 'di neud dim byd yn rong. Peidiwch â phoeni be ma pobl erill yn ei ddeud, 'dach chi'n olreit."

Wrth gloi ystafell y blaenoriaid, teimlai Rhys gymysgedd o ddiolchgarwch a balchder. Am y tro cyntaf yn ei fywyd roedd wedi profi drosto'i hun y wefr y bu Llinos yn sôn cymaint amdani wrth drin plant a phobl ifanc. Penderfynodd fynd i'r Swan am un sydyn i ddathlu cyn mynd draw i dŷ Llinos am swper a dweud wrthi gymaint yr oedd wedi mwynhau'r dosbarth.

"Un dosbarth derbyn, a ti'n meddwl bod chdi'n gwbod popeth am ddysgu."

"Be uffar sy haru chdi? Cwbl ddudis i oedd mod i 'di mwynhau'n hun efo'r bobl ifanc."

"A deud bod athrawon yn gneud môr a mynydd o bopeth, ac yn cwyno bob munud."

Doedd gan Rhys ddim clem beth oedd yn bod ar ei gariad. Roedd hi'n flin fel tincar ers y munud iddo gerdded drwy'r drws. Meddyliodd i ddechrau efallai ei bod yn flin am ei fod wedi picio i'r Swan, ond roedd yn amlwg bod rhywbeth mwy na hynny'n ei phoeni. Ceisiodd ei orau i dynnu sgwrs efo hi, ond doedd dim yn tycio felly penderfynodd y byddai'n sôn am y dosbarth derbyn, yn y gobaith y byddai hynny'n ei denu o'i chragen. Yn anffodus, y cwbl wnaeth ei sylwadau am ddysgu plant oedd ei chynddeiriogi ymhellach.

"Ydi hi'r adeg yna o'r mis neu rwbath?"

"Ti'n pathetig, ti'n gwbod hynny?"

"Dim ond gofyn. Ti weld 'bach yn …"

"Nac'di, Rhys, tydi hi ddim yr adag hynny o'r mis, ond ella'i bod hi'r adeg hynny o'r *flwyddyn* …"

Wrth iddi gwblhau'i brawddeg, sylweddolodd Rhys pam ei bod mewn cymaint o dymer – tua'r adeg yma o'r flwyddyn y dechreuon nhw fynd allan efo'i gilydd. *Damia, pam goblyn fasa Chdi'm di fy atgoffa i?*

"Yli, ma'n wirioneddol ddrwg gin i am anghofio – mae jyst 'di bod mor brysur arna i rhwng y naill beth a'r llall."

"Ydi, Rhys, dwi'n gwbod – dwi bron 'di colli nabod arna chdi."

"Yli, 'swn i'n mynd â chdi allan nos fory ond mae Hari isio cynnal ryw gyfarfod pwysig medda fo. Ond nos Lun dwi'n addo a' i â chdi am bryd o fwyd sbeshial. Awn ni i Fodysgallen. Be ti'n ddeud?"

"Ti'n siŵr bod gin ti'r amser?"

"Paid bod fel hyn, plîs. Yli, 'dan ni wedi bod trw ddigon efo'n gilydd am naw mlynedd, siawns na alli di …"

"Basdad!"

"Wel, be ydw i 'di neud rŵan 'to?"

"Deng mlynedd, Rhys; 'dan ni wedi bod efo'n gilydd ers *deng* mlynedd."

Caeodd Llinos ddrws y gegin gyda chymaint o nerth a gwylltineb, fel y bu ond y dim i'r botel o win ar y bwrdd ddisgyn i'r llawr. Wedi tywallt peth o'i chynnwys yn ofalus i'w wydryn, camodd Rhys at y popty a'i agor. Syllodd ar y stecan, y llysiau a'r *chips* wedi'u gosod yn ddel ar y blât. Er mor apelgar yr edrychai'i hoff bryd, roedd ei gydwybod yn drech na'i stumog, ac o ganlyniad Panty oedd yr unig un a wleddodd ac a ddathlodd ben blwydd perthynas ei berchenogion.

"Gyda balchder, dwi'n datgan bod Capel Soar wedi llwyddo i glirio'i ddyled, ac am y tro cyntaf ers bron i hanner canrif, mae'r capel wedi gwneud elw yn y chwarter cyfredol."

Cymaint oedd cymeradwyaeth Brenda, mi fyddai rhywun yn meddwl bod Gresyn wedi ennill cadair yn yr Eisteddfod Genedlaethol, ac fe safodd ar ei thraed cyn parhau i gymeradwyo er mwyn datgan ei balchder ymhellach. Edrychodd Robin a Rhys ar ei gilydd. Yn sicr, roedd hi'n braf gwybod nad oedd baich dyled yn hofran uwch eu pennau, ond go brin bod galw am y fath lawenydd. Bu raid i Brenda roi'r gorau i gymeradwyo ar ôl ychydig funudau oherwydd bod ei dwylo'n fflamgoch, a manteisiodd Robin ar y cyfle i fynegi'i farn.

"Wel mae hynny'n newyddion da iawn, a dwi'n siŵr ein bod yn gwerthfawrogi cymaint o ran y mae Rhys wedi'i chwarae yn y broses o weddnewid hanes Soar."

Bu Gresyn a Brenda yn fwy na pharod i ategu'u cefnogaeth i safbwynt Robin, ac roedd Rhys ar fin crybwyll ei ddyled i Llinos, ond chafodd o ddim cyfle i ynganu'r un gair gan fod Brenda wedi estyn am focs o'r *carrier bag* y bu hi'n ei warchod gyda llygad barcud ers dechrau'r cyfarfod. Gwnaeth glamp o sioe a ffŷs wrth drosglwyddo'r bocs i ddwylo'r gweinidog a'i orchymyn i'w agor.

Roedd Brenda wedi gwneud *Welsh cakes* i ddathlu'r ffaith bod Soar yn rhydd o ddyled, ond yn anffodus doedd hi ddim patsh ar Meri Thomas druan, ac er iddi dreulio oriau yn y gegin yn paratoi'n ddiwyd roedd y cynnyrch gorffenedig cyn ddued â chyfri banc y capel ac mor galed â'r cerrig beddau yn y fynwent. Estynnodd fflasg a thywallt paned o de i'r tri arall tra'u bod hwythau yn ceisio magu plwc i fentro rhoi eu dannedd yn y teisennau. Gyda Brenda'n edrych yn ddisgwylgar arnynt i gael eu hymateb i'w champwaith, ceisiodd Gresyn frathu darn, ond roedd yn anodd gwahaniaethu rhwng y cyraints a'r toes, ac mewn ymgais i osgoi'r artaith dywedodd:

"Dwi 'di bod yn meddwl. Gan ein bod ni wedi llwyddo i drawsnewid ffawd y capel hwn, mi fasa'n syniad go lew i ni sgwennu i ddiolch i'r henaduriaeth am eu help dros y blynyddoedd, ac i ddweud wrthynt hefyd ein bod am fynd ein ffor' ein hunain erbyn hyn."

"Ffor' ein hunain?"

"Ia, Rhys, dwi isio cynnig ein bod yn mentro troi Capel Soar yn gwmni preifat."

Bu bron i Rhys dagu ar ei *Welsh cakes.* Wedi'r holl helynt a checru a fu ar ôl y busnes loteri 'na, dyna lle roedd Gresyn yn eistedd o'i flaen yn gwbl hamddenol ac yn cynnig y dylent drio gwneud eu ffortiwn ar y farchnad stoc. Pan fentrodd Robin dynnu sylw at y ffaith efallai bod ychydig o anghysondeb, os nad rhagrith llwyr, yn perthyn i'r fath awgrym, neidiodd Brenda i amddiffyn y trysorydd.

"Mae'r ddau beth yn hollol wahanol. Nid sicrhau elw personol yw'r bwriad wrth droi'r capel yn gwmni, ond gwarchod dyfodol Soar. Dyna sy'n bwysig."

Parhaodd Robin i daflu dŵr oer ar y syniad, gan ddweud bod yr holl beth yn hurt bost, a chwestiynodd eu hawl hyd yn oed i ystyried y pwnc, ond roedd Gresyn yn gwbl argyhoeddedig a phendant.

"Wrth gwrs bod hawl gynnon ni. Ni ydi'r swyddogion. Dwi wedi edrych yng nghyfansoddiad yr enwad, ac mae cymal chwe deg pump o is-reol pum deg tri yn datgan yn gwbl glir, unwaith bod unrhyw gapel wedi, a dwi'n dyfynnu, 'ymddihatru ei hun o ddyledion o du'r swyddfa ganolog, rhoddir yr hawl i swyddogion y sefydliad hwnnw gymryd yr awenau pe dymunent hynny'."

Cafodd Rhys sioc am ddau reswm. Yn gyntaf, er iddo fod yn weinidog gyda'r Methodistiaid am bron i wyth mlynedd, ni chlywsai erioed am fodolaeth y fath gyfansoddiad cyn hynny. Yn ail, roedd wedi llwyddo i lyncu tamaid o'i gacen heb dagu i farwolaeth. Fodd bynnag, roedd Robin yn parhau i gael cryn drafferth i ddygymod gyda'r ail broblem, felly bachodd Gresyn ar y cyfle a cheisio eu hargyhoeddi o fanteision cam o'r fath. Safodd ar ei draed unwaith yn rhagor, a bron na chafwyd adlais o araith Churchill ei hun yn sôn am barodrwydd ei filwyr i frwydro'r gelyn ar y traethau ac ar y tir mawr.

"Byddai'n galluogi ein haelodau i frwydro bygythiad difaterwch seciwlar o fewn muriau'r capel a thu hwnt. Boed hyd strydoedd Llanaber, Llandudno neu Lundain, mi fyddwn ni yno, yn barod i gwffio'r diafol a'i weision llwgr. Gyfeillion, dyma'n cyfle ni i sicrhau fod y dyfodol yn ein dwylo'n hunain, i ddangos i bawb mai yma yng Nghapel Soar y ceir achubiaeth i'r enaid a'r tocyn i'r nefoedd."

Doedd dim dwywaith nad oedd Gresyn wedi sefyll am oriau o flaen y drych yn ei gartref yn paratoi pob sillaf ac ystum drosodd a throsodd, a thalodd hynny ar ei ganfed iddo. Cyfareddwyd Brenda unwaith yn rhagor ac, wrth lwc, yn ei brwdfrydedd i godi ar ei thraed a chymeradwyo Hari'n wresog, disgynnodd gweddill ei chacennau i'r llawr. Mater o amser yn unig fyddai hi nes bod Capel Soar yn gwmni *plc*.

Ni chysgodd Rhys fawr ddim y noson honno. Roedd goblygiadau'r posibilrwydd bod Capel Soar yn mynd i fod yn gwmni preifat yn pwyso'n drwm arno. Er iddo ymhyfrydu yn y ffaith ei fod wedi chwarae rhan allweddol yn y broses o weddnewid sefyllfa ariannol y capel, roedd ganddo amheuon cryf ynglŷn â'r datblygiad diweddara hwn.

Cyrhaeddodd Rhys stafell y blaenoriaid yn fuan yn y gobaith o gael trafod y mater gyda Gresyn cyn y gwasanaeth, ond roedd yn amlwg bod y trysorydd wedi rhag-weld y byddai gan ei weinidog air neu ddau i'w ddweud ar y mater. Cyrhaeddodd Hari stafell y blaenoriaid union ddau funud i ddeg, gan esgus ei fod wedi cysgu'n hwyr.

Yn ystod ei bregeth sylwodd Rhys ar aelod o'r gynulleidfa yn ymddwyn ychydig yn od. Er ei bod yn ddiwrnod digon braf, roedd y cyfaill a eisteddai ar ochr chwith y capel yn agos i'r blaen yn gwisgo côt drwchus a het gowboi oedd yn gorchuddio'r rhan helaethaf o'i wyneb. Yn ystod y canu sylwodd Rhys bod perchennog yr het yn parhau ar ei eistedd ac yn gwneud nemor ddim ymdrech i ganu; yn wir, roedd yn plygu'i ben fel pe bai'n cysgu'n drwm. Trwy gydol ei bregeth ceisiodd Rhys gael golwg fanylach arno, ond rhwng yr het a'r ffaith fod yn rhaid i Rhys ganolbwyntio ar gynnal sylw'r ddau gant o bobl yn y gynulleidfa, doedd dim posib iddo weld ei wyneb yn iawn. Fodd bynnag, wrth ffarwelio â phawb y tu allan i'r capel ar ddiwedd y gwasanaeth, sylwodd Rhys bod y cowboi'n llechu ger drws ffrynt y tŷ capel. Roedd Rhys wedi derbyn cyngor gan yr heddlu i fod yn wyliadwrus o stelcwyr a Wesleaid yn dilyn y cynnydd sylweddol yn ei boblogrwydd, ac roedd ar fin troi nôl i ddiogelwch ystafell y blaenoriaid pan glywodd lais yn ei gyfarch o gyfeiriad yr het gowboi.

"Mr Roberts, chi'n credu y gallen ni siarad yn y tŷ am bum muned?"

Gwyddai Rhys na ddylai gytuno i drefniant o'r fath, ond

roedd rhywbeth ynghylch y person yma oedd yn lled gyfarwydd iddo.

"Ydan ni wedi cyfarfod o'r blaen?"

"Weda i'r cwbwl 'tho chi unweth fyddwn ni yn y tŷ."

Wrth iddo dynnu'i het gowboi, daeth mop o wallt *brillo pad* brith i'r amlwg, ac wrth i'r gŵr dynnu'i gôt frown hir bu bron i Rhys gael ei ddallu gan y tei llachar melyn a brown a'r crys streipiau pinc a phiws. Dim ond bryd hynny y sylweddolodd Rhys pwy oedd o'i flaen, ond wyddai o ddim sut i gyfarch y gŵr.

"Beth alla i neud i chi, Mr …"

"Pidwch becso bytu ffurfioldeb nawr. Ody e'n iawn bo fi'n galw chi'n Rhys?"

"Wrth gwrs hynny. Fasa chi'n hoffi panad …?"

"Jiw, whare teg i chi, bydde 'na'n neis, ond ma cyfarfod 'da fi yn y de i drafod y clwb golff am saith a wy moyn bod nôl ar gyfer 'na. Ond diolch ta beth. Chi'm yn digwydd bod yn *Labour man*, y'ch chi?"

"Tydw i ddim yn aelod o unrhyw blaid, gin i ofn."

"Treni, ond o leia chi'm yn nashi. Shgwlwch, sdim amser 'da fi i whare bytu – y'ch chi ar gal i ddod 'da fi i *Cardiff* nawr?"

"Be? Rŵan? Y munud 'ma?"

"Ie."

"Na, ma gin i'r Ysgol Sul am ddau, a wedyn oedfa'r hwyr am chwe …"

"Chi'n ffaelu canslo? Gweud bo chi'n dost neu rwbeth?"

"Nac'dw, sori."

"Damo. Olreit, beth chi'n neud fory 'te?"

"Wel, dwi 'di trefnu efo Llin, fy nghariad, bod ni'n mynd am bryd o fwyd gyda'r nos i ddathlu …"

"Faint o'r gloch chi fod ishte lawr i fyta?"

"Dwi 'di bwcio bwrdd erbyn hanner awr wedi saith."

"Olreit, dim problem. Fyddwch chi gartre ymhell cyn hynny. Byddwch yn barod erbyn wyth o'r gloch bore fory. Bydd car yn dishgwl amdanoch chi tu fas i'r capel."

"Ond . . ."

"Sdim amser 'da fi i *explainio* nawr – weda i bopeth 'tho chi fory, ond dim gair bytu hyn 'tho neb, chi'n deall? Ddim hyd yn o'd 'tho'r wejen, ocê?"

Ar hynny, gwisgodd y gŵr ei het a'i gôt amdano a chychwyn am y drws ffrynt, ond cyn agor y drws trodd yn ei ôl.

"*By the way,* joies i'r bregeth yn fowr; wy ffaelu gweud bo fi 'di dyall pob gair, ond 'na fe, so rhai pethe'n newid dim. Wela i chi fory."

Doedd Rhys erioed wedi siarad wyneb yn wyneb efo gwleidydd o'r blaen. Bu'n rhannu pulpud efo Dafydd Iwan unwaith mewn cymanfa yng Nghwm Penmachno, ond doedd Rhys ddim yn ei ystyried o yn wleidydd go-iawn, nac yn ganwr chwaith o ran hynny. Fel y rhan fwyaf o'i genhedlaeth, doedd gan Rhys ddim mymryn o ddiddordeb mewn gwleidyddiaeth. Doedd ganddo fawr o amynedd gyda'r pleidiau na'r unigolion a oedd yn eu cynrychioli. Cyn belled ag yr oedd o yn y cwestiwn, roedden nhw i gyd mor llwgwr a dan din â'i gilydd. Pleidleisiodd 'ie' yn refferendwm 1997, nid yn gymaint am ei fod yn credu'n gryf mewn datganoli ond am ei fod yn casáu llais a wyneb Felix Aubel. Er hynny, cafodd Rhys dipyn o sioc wrth iddo sylweddoli bod Prif Weinidog Cymru wedi bod yn ystafell fyw ei gartref, ac wedi trefnu i'w gyfarfod drannoeth. Yr unig beth oedd yn achosi pryder iddo oedd Llinos. Gan iddo fod mor drybeilig o brysur rhwng popeth, roedd pethau'n ddigon anodd rhyngddynt yn ddiweddar, a dweud y lleiaf, ac roedd yn gwbl benderfynol na fyddai dim yn difetha eu pryd arbennig nos yfory. Penderfynodd ei ffonio i gadarnhau'r trefniadau, ond wrth iddo godi'r ffôn gwelodd Gresyn yn martsio tuag at y drws ffrynt. Wrth agor y drws, gallai ei glywed yn anadlu'n ddwfn.

"Ma gin rai pobl *damn cheek*. 'Dach chi'n gwbod faint roddodd y nytar 'na yn yr het gowboi yn y casgliad? Ydach chi? Pum Ewro, pum Ewro! Pwy oedd y crinc uffar p'run bynnag?"

Er mai erbyn wyth y bore yr oedd Rhys wedi cael cyfarwyddyd
i fod yn barod, roedd wedi cael cawod, newid ac wedi bwyta
llond powlenaid o *Frosties* a darn o dost a mêl erbyn hanner
awr wedi chwech. Anfonodd decst arall at Llinos yn
cadarnhau'r trefniadau ar gyfer nes ymlaen, ond chafodd o
ddim ateb. Bu draw yn ei chartref ar ôl oedfa'r hwyr y noson
gynt ond doedd y car ddim ar y dreif a doedd hi ddim yn ateb
ei ffôn yn y tŷ na'i mobeil, felly fe gymerodd yn ganiataol ei
bod wedi mynd at ei rhieni. Gadawodd nodyn ar fwrdd y tŷ
capel yn y gobaith y byddai hi'n dychwelyd i Lanaber rywbryd
yn ystod y dydd ac y byddai awydd ynddi i gymodi. Wrthi'n
rhoi cusan ar waelod y nodyn oedd o pan glywodd gnoc
awdurdodol ar y drws ffrynt.

Gwyddai ei fod yn mynd i gyfarfod â'r Prif Weinidog, ond
doedd Rhys ddim wedi disgwyl gweld y Mercedes Benz du
crand yn aros amdano ym maes parcio Soar, gyda dyn â chap
pig yn agor y drws iddo. Er ei fod wedi gwirioni efo'i Audi TT,
roedd moethusrwydd y Merc yn rywbeth i'w ryfeddu ato, ac er
iddo gael brecwast eisoes bu raid iddo ildio i'r *croissants* a'r
jam mefus a roddwyd ar hambwrdd arian o'i flaen, ynghyd â
chopïau o'r *Times* a'r *Financial Times*. Gyda char cyflym o'r
fath, credai Rhys mai ar hyd lôn yr Amwythig a Henffordd y
byddai'r gyrrwr yn mynd. Doedd ond yn naturiol iddo anelu
am y lonydd llydan, ond aeth y gyrrwr yn ei flaen i gyfeiriad
Lerpwl, a chyn hir cafodd Rhys ei hun yn sefyll ar lain awyr
Sealand ger Caer. Bu Rhys yn breuddwydio am gael teithio
mewn hofrennydd ers y dyddiau pan fu'n wyliwr selog o
Chopper Squad, ac yn naw ar hugain oed gwireddwyd y
freuddwyd honno. Roedd fel hogyn bach yn pwyntio at
olygfeydd ac adeiladau hyd diroedd cyfoethog y Gororau.
Trueni mawr nad oedd Llinos gydag ef, oherwydd byddai
hithau hefyd wedi mwynhau siwrne o'r fath.

O fewn dim, gallai Rhys weld Stadiwm y Mileniwm –

edrychai fel pry copyn mawr o'r awyr – ond yn hytrach nag anelu amdano trodd y peilot i gyfeiriad y bae.

Er iddo weld yr adeilad droeon ar y teledu, dyma'r tro cyntaf i Rhys sefyll mor agos at gartref y Cynulliad, ac wrth syllu ar yr honglad o'i flaen cafodd ei atgoffa o'r ffatri siocled yn y ffilm *Willy Wonka and the Chocolate Factory*. Brasgamodd at y fynedfa, ac o ystyried nad oedd ganddo nemor ddim diddordeb mewn gwleidyddiaeth teimlai'n ddigon nerfus.

"Dwi yma i weld …"

"Mr Rhys Roberts, ie?"

"Ia."

Nodiodd yr Oompa Loompa bach wrth y ddesg tuag at ei gyfaill ym mhen pella'r dderbynfa, a chafodd Rhys ei dywys hyd goridorau gwyn pwerdy'r wlad. Cafodd gip ar luniau ar y waliau – rhai o eiddo Kyffin Williams oeddan nhw'n bennaf, pethau digon hyll a'r paent wedi'i daflu'n flêr ac yn drwchus o fewn y fframiau tywyll. Wrthi'n ceisio gwneud synnwyr o lun arlunydd arall oedd Rhys, un oedd yn amlwg yn drwm dan ddylanwad alcohol a chyffuriau cryf, pan gydiodd y dyn diogelwch yn ei fraich a'i arwain i'r chwith ac i ystafell enfawr lle roedd y Prif Weinidog yn eistedd mewn cadair ledr ym mhen pella'r ystafell.

"Rhys. Croeso i *Cardiff*, a diolch am ddod lawr 'ma."

"Diolch i chi."

Roedd cath ddu yn eistedd ar ei lin, yn canu grwndi'n ddigon bodlon ei byd wrth i'r Prif Weinidog fwytho dan ei gên.

"Chi'n lico cathod, Rhys?"

"Ddim felly, nag'dw. Beth ydi'i henw hi?"

"Fe yw e, wy'n ei alw e'n Tony."

"Ar ôl y gath ar bacad *Frosties*?"

"Nage, ar ôl y sod 'na'n 10 Downing Street."

Bron na allai Rhys ei weld yn tasgu gwaed wrth iddo ddweud hynny, ac er nad oedd yn gwbl sicr a ddylai fentro gofyn ai peidio, cafodd chwilfrydedd y gorau arno, ac aeth ati i'w holi pam iddo ddewis yr enw.

"Achos ma fe'n cal ei sbaddu fory a wy'n disghwl mlan shwt gyment at neud y jobyn 'yn hunan."

Sylwodd Rhys ar y wên annifyr ar wep y Prif Weinidog, ac fel pe bai hwnnw wedi deall ystyr y geiriau neidiodd Tony o'i afael a mynd i orwedd ar y bwrdd ger y ffenestr i fwynhau gwres yr haul.

"Joioch chi'r siwrne?"

"Do, diolch. Neis iawn."

"'Na'r ffor ore i weld y gogledd – o'r awyr ac o bell."

Chwarddodd y Prif Weinidog yn uchel ac yn hir ar ei jôc, cyn sylweddoli nad oedd ei ysgrifennydd personol – a eisteddai yn y gornel arall – na Rhys yn gwenu, heb sôn am chwerthin.

"Jocan o'n i, Rhys. Jiw, so chi gogs yn *famous* am eich hiwmor, y'ch chi?"

"Nac'dan debyg."

"Reit 'te, 'sa i'n credu mewn wasto amser pobl, felly wy am fod yn *straight* 'da chi. Ni mewn twll."

"Wel, pa bryd fydd yr adeilad newydd yn barod 'ta?"

"Nage, nage – 'sa i'n sôn am ein hadeilad. Wy'n sôn yn gyffredinol – ni mewn twll."

"Pam? Be sy'n bod?"

"'Sneb yn ein trysto ni – ma pawb yn credu bo ni'n neud jobyn *crap* yn rhedeg y wlad hyn … so chi'n mindo bo fi'n rhegi, y'ch chi? Wy'n gwbod bod chi'n *minister* a phopeth, ond chi'n dishgwl fel *one of the lads* i fi."

"Na, alla i regi gystal â neb."

"*Good.* Alla i weud bo ni'n dou yn mynd i ddod mlan 'da'n gilydd yn *great.* Nawr 'te, le o'n i? O ie, pawb yn meddwl bo ni'n neud jobyn *crap.* Ni *really* moyn rhywun alle newid barn y bobol, yn arbennig lan sha'r *north* 'cw. Ers i'r hen Dafydd *retiro,* sneb 'da ni sy efo carisma, y *gift of the gab,* ar yr un lefel â Joe Bloggs os chi'n dyall beth 'sda fi."

Roedd yn rhaid i Rhys ganolbwyntio'n galed er mwyn ceisio dilyn trywydd y sgwrs, a chymerodd ychydig eiliadau cyn iddo sylweddoli bod y Prif Weinidog wedi gorffen ei sbîl a'i fod ef a'i ysgrifennydd personol yn syllu arno'n ddisgwylgar.

"Sori, ond be sy nelo hyn â fi?"

"Ni moyn i chi ddod i weithio i ni, fel *PR guru* y Cynulliad."

Chwarddodd Rhys yn iach am sbelan cyn sylweddoli bod y cynni yn gwbl o ddifri.

"'Dach chi rioed o ddifri?"

"Wrth gwrs bo fi. Chi 'di neud gwyrthie 'da'r Methodists. Ma pawb yn lico chi, ma pawb yn eich parchu chi, ma pawb yn credu popeth chi'n weud. Chi'n berffeth – 'sach bo chi'n gog. Ni wir moyn rhywun fel chi."

"Wel ma hynna'n garedig iawn, ond ma gin i joban yn barod."

"Ma Mr Hari Evans eisoes wedi cytuno i'ch rhyddhau chi."

"Be? Ers pryd mae o'n gwbod?"

"Pnawn Gwener. Ma fe'n *hard bargainer*, ond whare teg ma fe'n *good businessman* 'efyd, a ma fe'n folon i chi neud y gwaith os roiwn ni gompo i'r capel."

"Compo?"

"Ie, caniatâd cynllunio i ryw *conservatory* ar bwys eich capel a deng mil ar hugen o bunnoedd. Bargen i'r ddwy ochor, weden i. A phidwch chi becso bytu chi'ch hunan, 'naf i'n siŵr bo chi'n cal pae teidi."

"Ylwch, mae rhaid i mi gael gair gyda 'nghariad cyn gwneud penderfyniad o'r fath."

"Wrth gwrs 'ny. Defnyddiwch fy ffôn i."

Cododd o'i sedd gan adael i Rhys eistedd y tu ôl i'r ddesg. Er gwaetha'r elfen o frys, sylwodd Rhys fod y ddesg yn fwy na lolfa y tŷ capel, a mwynhaodd foethusrwydd y gadair enfawr. Deialodd rif cartref Llinos a chael ei gyfarch gan y peiriant ateb. Rhegodd yn dawel cyn rhoi'r ffôn i lawr a deialu rhif ei mobeil. Yn anffodus, roedd hi'n brysur yn sgwrsio efo rywun ar hwnnw – a gwyddai Rhys yn iawn efo pwy.

"Damia chdi, Himmler."

"Ma'n flin 'da fi?"

"Dim byd. Ylwch, alla i'm cal drwodd ar y funud a dwi'n

awyddus iawn i beidio gneud penderfyniad o'r fath nes mod i wedi siarad efo hi."

"Wy'n dyall 'ny, ond y broblem yw, chi'n gweld, ni'n *desperate*. Ma Millbank yn bygwth dod â ryw sod o Lunden i ddechra'r jobyn hyn pnawn 'ma a wy moyn eu gwylltio nhw a chal rhywun o'r wlad hyn, ond ma raid i fi gal gwbod nawr cyn i'r bachan hyn ddechre'i siwrne lawr yr M4."

Roedd Rhys mewn cyfyng-gyngor. Be goblyn oedd o fod i neud? Wrth weld ei ddarpar ymgynghorydd cysylltiadau cyhoeddus mewn gwewyr meddwl, aeth y Prif Weinidog ati i brocio ar ei emosiynau a'i ddyletswyddau.

"Meddyliwch bytu'r peth; pan fydd haneswyr y dyfodol yn trafod ffawd Cymru dros y canrifoedd fyddwch chi man 'na 'da'r mowrion – Glyndŵr, Lloyd George, Bevan, fi a chi."

Ystyriodd Rhys y sefyllfa a buan y dechreuodd deimlo nad oedd ganddo ddewis yn y mater.

"Be 'swn i'n cytuno'n eiriol i neud y swydd ond 'na i ddim arwyddo dim byd nes i mi gal gair efo Llinos?"

"*Bloody marvellous!*"

Gwenodd y Prif Weinidog o glust i glust ac aeth i'r cabinet mawr pren ac estyn dau gan o Brains Bitter a rhoi un yn llaw ei was sifil newydd.

"Ma hyn yn galw am *celebration*. O, damo, un peth cyn i fi anghofio, ma 'ngwraig i'n dwlu 'no chi. Gweud bo chi'n dishgwl yn *cute* ar y bocs. Fyddech chi'n mindo *signio* hwn i fi?"

Ac ar hynny dychwelodd at y cabinet cyn hwrjio clamp o Feibl mawr du dan drwyn Rhys a rhoi ysgrifbin drud yn ei law.

"Os 'newch chi *signio*, cofion gore, a lot o swsys, fydd e'n anrheg pen blwydd lyfli iddi."

Wedi cymryd llond ceg o chwerw cerddodd y Prif Weinidog yn hyderus at y bwrdd ger y ffenestr gan weiddi'n groch, "Piss off, Tony, *you little bastard*", a chyda cefn llaw ddigon brwnt taflwyd Tony'r gath i'r naill ochr. Rhoddodd Rhys ei gan o chwerw ar y bwrdd cyn mynd ati i lofnodi'r Beibl.

Tra oedd Rhys yn gwneud hynny trodd y Prif Weinidog at ei ysgrifennydd personol a dweud wrthi am fynd i hysbysu aelodau o'r wasg y byddai'r ddau'n cynnal cynhadledd ar eu cyfer o fewn ychydig funudau. Nodiodd hithau, cyn mynd allan o'r ystafell. Brasgamodd nôl at y bwrdd a syllu ar y cyfarchiad roedd Rhys wedi'i sgwennu.

"*Lovely*, chi'n amlwg yn dda 'da geirie – beth ma fe'n weud?"

Unwaith i Rhys egluro, cododd y Prif Weinidog ei gan a'i daro'n gyfeillgar yn erbyn un Rhys. Wedi cymryd llond ceg, sychodd ei geg gyda'i lawes, cyn dweud:

"*Right, off* â ni, wy'n dishgwl mlan i weld wyneb Tony pan glywith e bytu hyn – fydd e mor *pissed off.* Hynny yw, y PM nid y gath."

"Lle 'dan ni'n mynd?"

"Lawr stâr i neud *press conference* – o'dd fy ysgrifenyddes wedi trefnu popeth yn y gobeth bydde chi'n gweud 'ie'. Nawr bo ni'n gwitho 'da'n gilydd, alla i alw ti'n 'ti'?"

"Cewch siŵr, ond alla i ddim bod yn y gynhadledd i'r wasg, tydi Llinos ddim yn ..."

"*The nation awaits,* Rhys – *the nation awaits.* Fydd e'n syrpreis lyfli iddi. Wy'n siŵr fydd hi'n *chuffed to bits.*"

Ac wrth i'w ysgrifennydd personol ddychwelyd i ddweud bod y wasg yn barod amdanynt, rhoddodd y Prif Weinidog ei fraich o amgylch ysgwydd Rhys a'i dywys i ffau'r llewod.

Bu'r genedl yn ymhyfrydu yn y penodiad, gyda sylwebwyr, gwleidyddion a'r cyhoedd fel ei gilydd yn unfryd gytûn ei fod yn benodiad doeth, synhwyrol a phoblogaidd. Honnodd John Stevenson ar Radio Cymru a Guto Harri ar Radio 4 fel ei gilydd bod enw Rhys wedi'i grybwyll yn dawel bach yng nghoridorau'r Cynulliad ers y diwrnod cyntaf i'r swydd gael ei thrafod ymhlith y pen-bandits gwleidyddol, ac nad oedd y penodiad yn gymaint â hynny o sioc iddynt. Fodd bynnag, tra gwahanol oedd barn un athrawes o Lanaber.

Rhwng ateb y cwestiynau yn y gynhadledd, a chynnal cant a mil o gyfweliadau ar raglenni amrywiol o *Wedi Saith* i *Newsnight*, roedd hi ymhell wedi tri o'r gloch y bore ar Rhys yn dychwelyd i Lanaber, ac er iddo geisio ffonio a thecstio Llinos sawl gwaith ar ei ffordd gartref, ni chafodd unrhyw ymateb. Gyda thrwyn y Mercedes Benz yn gadael maes parcio Soar, dychwelodd Rhys i'r tŷ capel gan geisio gwneud synnwyr o ddrama'r oriau diwethaf.

Ni thrafferthodd droi'r golau ymlaen. Taflodd ei esgidiau i'r naill ochr ac agor drws y gegin er mwyn nôl diod o ddŵr. Yno'n eistedd yn y tywyllwch roedd Llinos. Cafodd Rhys drafferth i lyncu'i boer, ac er mwyn cael rhywbeth i'w wneud aeth ati i roi'r golau ymlaen a chau'r llenni. Er nad oedd hi'n crio bellach, roedd olion y mascara ar ei bochau'n tystio i'r dagrau a fu. Wedi sefyll yn ei unfan am sbel yn edrych arni, penderfynodd Rhys eistedd yn y gadair gyferbyn â hi. Ni ddywedodd yr un ohonynt air am hydoedd.

"Sori, Llin."

"Am be?"

"Popeth."

"Iawn."

"Nac'di, tydi o'm yn iawn. Mi nes i drio dy ffonio di i drafod y peth, ond oeddach chdi'n brysur yn siarad, a wedyn …"

"Does dim raid i chdi egluro dim byd i fi, Rhys."

"Ond dwi isio. Yli, doedd gen i'm clem mod i'n mynd i gal cynnig y ffasiwn swydd, ges i gythral o sioc …"

"Ddim gymint â fi."

"Sori."

"Ti 'di deud hynna unwaith."

"Yli, mi ffonia i Bodysgallen peth cynta'n bora, awn ni yno am y penwythnos."

"A be? Fydd popeth yn iawn wedyn, bydd?"

"Sortiwn ni bopeth. Ma llwythi o ysgolion cynradd

Cymraeg yng Nghaerdydd, a dwi'n siŵr 'sa chdi'n cal pri-fathrawiaeth mewn chwinciad ..."

"Wel, diolch yn fawr, ond ma 'na un broblem."

"Be?"

"Dwi'm yn mynd i Gaerdydd."

"Yli, Llin, dwi'n gwbod bod dy fam yn casáu'r lle ar ôl iddi golli'i *handbag* yng nghyngerdd Aled Jones, ond mae o'n lle ..."

"Blydi hel, Rhys, tydi o'm byd i neud efo Mam yn colli'i *handbag*. Ffŵl!"

"Mae 'na lwythi o siopa neis yno, a chwmni opera; gawn ni fynd i weld opera efo'n gilydd. Be ti'n ddeud? A ma 'na lot o Gymry Cymraeg ifanc ..."

"'Di o gythral o bwys gen i tasa 'na filiwn o Gymry Cymraeg yn byw yno, dwi'm yn byw yng Nghaerdydd."

"Ond pam?"

"Achos mod i ddim isio. Ti'n dallt? Tydw i ddim isio mynd yno. Fi ... Llinos, dy gariad di ... dy bartner di, i fod ..."

"Ia, olreit, ti 'di gneud dy bwynt. Sori."

"Os ddudi di sori unwaith eto, hitia i chdi."

Trwy gydol y siwrne gartref bu Rhys yn meddwl yn ddyfal ynglŷn â sut i siarad gyda Llinos, ac wrth eistedd wrth ei hochr sylweddolodd nad oedd fawr callach ynghylch sut i wneud hynny. Yn ddiarwybod iddo ef, roedd hithau wedi bod yn meddwl yn union yr un peth, ond ei bod hi'n ystyried y pwnc hwnnw ers wythnosau yn hytrach nag ychydig oriau.

"Ti 'di newid gymint yn ddiweddar."

"Fi? Be amdana chdi 'ta? Cwbl ti 'di neud yn ystod yr wythnosa diwetha ydi bod yn bigog, annifyr a gweld bai."

"Falla dy fod ti'n iawn, ond wyt ti rioed 'di meddwl pam?"

"Dwn i'm ... Ella achos nad w't ti'n hoffi'r ffaith mod i'n boblogaidd ac yn cal lot o sylw a llwyddiant? Ti'n gweld dy hun mewn ryw hen ystafell ddosbarth oer a ti 'di laru. Dyna pam o'n i'n meddwl tasa ni'n dau yn mynd i Gaerdydd fasa ti'n cal dechra o'r newydd ..."

"Ti wir yn credu hynna?"

"Ydw. Dim gweld bai arna chdi ydw i. Alla i ddallt bod chdi'n …"

"Rhys, w't ti'n sylweddoli gymint o dwat w't ti 'di bod yn ddiweddar?"

"Be?"

"Glywis di'n iawn. Ma byw efo chdi'n ystod yr wythnosa diwetha 'ma wedi bod yn blydi hunlla. Ti 'di bod yn cerdded hyd y lle fel tasa chdi bia'r pentra 'ma. Meddwl dy fod ti mor bwysig, mor glyfar. Tasa chdi ond yn gwbod y gwir …"

"Y gwir? A be ydi hwnnw?"

"Dim."

"Na na, alli di'm stopio rŵan, tyd yn dy 'laen."

"Rhys, ma hyn yn hurt …"

"Duda be oedda chdi'n feddwl jyst rŵan …"

"Ti wir yn credu bod yr erthygl 'na ti 'di fframio'n y lolfa sy'n canmol dy sylwadau 'beiddgar a gonest' yng nghystadleuaeth Llyfr y Flwyddyn yn sôn am dy waith di? Wel? W't ti?"

"Ydw, pam?"

"Tasa rywun wedi darllen dy sylwadau di fasa nhw'n dal i chwerthin hyd rŵan. Oeddan nhw'n jôc … yn gachu. Gweld dy hun mor glyfar yn chwerthin am ben gwaith pobl erill. 'Nes di rioed feddwl falla ma chdi oedd rhy dwp i weld pa mor dda oedd eu gwaith nhw? Alli di'm beirniadu rhywbeth jyst achos dy fod yn weinidog ceiniog-a-dima enwog. Fi sgwennodd y feirniadaeth 'na i chdi er mwyn gwneud yn siŵr na fasa pawb yn gweld gymint o *idiot* w't ti."

"Paid â malu cachu."

Er i Rhys ddweud hynny, gwyddai yn ei galon bod Llinos yn dweud y gwir. Meddyliodd ar y pryd ei fod ychydig yn od bod cynifer o bobl wedi canmol ei sylwadau beirniadol 'treiddgar', ond wedyn ystyriodd mai nhw oedd wedi cael eu dallu gan ei gyfaredd. Er ei fod wedi blino, teimlodd ei fod angen mynd allan o'r tŷ.

"Lle ti'n mynd?"

"Am awyr iach."

"Be, yn y car crand 'na sgin ti? Hwnnw brynodd Gresyn a Brenda i ti ar ran y capel, i ddangos gymint o weinidog gwych w't ti?"

"O leia ma nhw'n fy ngwerthfawrogi i."

"Gin i ofn bod chdi'n anghywir efo hynny hefyd, yli."

"Be?"

"'Sa'r ddau yna ddim yn prynu car Matchbox i ti. John a Meinir brynodd o i chdi efo'u pres loteri, er mai Catrin ddewisodd y lliw. Oedda nhw'n ama 'sa ti'n gwrthod ei gymryd o, felly ddaru nhw ofyn i Gresyn fasa fo'n smalio mai'r capel oedd wedi'i brynu'n anrheg bach i weinidog gora Cymru. Wrth gwrs, fe gytunodd y snichyn diawl i hynny; siwtio fo'n iawn yn 'toedd? Cadw'r holl beth yn ddistaw a rhoi'r logo dwl 'na ar y cefn er mwyn dy dwyllo di mai'r capel oedd wedi'i brynu o i ti. A chditha'n meddwl eich bod chi'n gymint o ffrindia ac yn deud popeth wrth eich gilydd."

"Os ydi hynna'n wir, pam ddiawl 'nes di'm deud hyn wrtha i cyn hyn?"

"Dwi wedi trio 'ngora ers hydoedd, ond na, oedd wiw i neb ddeud dim yn erbyn Gresyn a Bic – sori, Hari a Brenda. Dau o'r bobl glenia sy 'di byw yn Llanaber rioed, tydyn? Ma pawb 'di sylwi bod y tri ohonoch chi'n fêts mawr dyddia hyn."

"Pawb?"

"Robin, Meri Daz, Cagney a Lacey, Vinnie ac eraill. Pob un wedi deud 'tha i gymaint maen nhw'n poeni, gweld chdi'n mynd yn ddiarth, 'di pellhau'n ddiweddar, rhy brysur i godi llaw a deud helô. Pawb 'di'u siomi, 'di'u brifo. O leia dwi mewn cwmni da."

"Tasa gin ti unrhyw feddwl ohona i, 'sa chdi 'di deud 'tha i."

"Fasa chdi 'di gwrando?"

Plygodd Rhys ei ben. Doedd ganddo ddim digon o asgwrn cefn i ateb y cwestiwn. Cododd Llinos ar ei thraed.

"Ddyliwn i fod yn ddiolchgar i ti, mae'n debyg."

"Diolchgar?"

"Ia. Am flynyddoedd, y cwbl o'n i isio neud oedd setlo lawr yn Llanaber 'ma, cal plant efo chdi ac i ni'n dau dyfu'n hen efo'n gilydd. Diolch byth dy fod wedi dangos gymint o fasdad w't ti cyn i ni fynd lawr y lôn honno. Ond ti'n gwbod pwy dwi'n ei bitïo fwya?"

"Paid deud, fi ia?"

"Dyna chdi eto, rhoi dy hun yn gynta. Na, am Catrin fach o'n i'n sôn."

"Catrin?"

"Ia, 'sat ti 'di'i chlywed hi'n holi'n dy gylch di gynna – isio gwbod hyn a'r llall – fu bron iawn iddi sgrechian y tŷ i lawr wrth dy weld di ar y bocs, oedd hi 'di cyffroi cymint."

"Ma hi adra?"

"Ydi. Dyna pam do'n i'm yn tŷ pan ffonis di, o'n i ar fy ffordd i Fanceinion i'w nôl nhw. Digwydd bod mai ffonio Bodysgallen i ganslo'n bwrdd ni o'n i pan driais di fi ar y mobeil. O'n i'n meddwl y bydda fo'n syrpreis neis i chdi, cal te efo Catrin yn lle bod mewn stafell yng nghanol ryw bobl grachaidd bwysig. Ond 'na ni, ma'n amlwg mai fi oedd yn anghywir. Sori. Llongyfarchiadau i ti, Rhys."

Yn gynnar y bore canlynol rhuthrodd Rhys draw i gartref
Catrin. Roedd John a Meinir yn dal i drio dadbacio a dygymod
gyda bywyd nôl yn Llanaber.

"Sut aeth hi?"

Edrychodd Meinir ar ei phartner ond ni ddaeth unrhyw fath
o ymateb ganddo. Y cwbl wnaeth John oedd syllu drwy'r
ffenestr a chymryd llond ei ysgyfaint eto o nicotîn. O'r diwedd
cafodd Meinir ddigon o nerth i ateb Rhys.

"Roedd pawb mor lyfli a ffantastig, oeddan ni mor siŵr fod
popeth yn mynd i weithio, a ddaru nhw i gyd neud eu gora ond
…"

Methodd â chwblhau'r frawddeg, ond roedd yr ychydig
eiriau hynny'n fwy na digon i Rhys sylweddoli nad oedd yr
ymweliad ag America wedi bod yn llwyddianus. O ganlyniad
i'r tawelwch llethol, teimlodd Rhys reidrwydd i gynnig rhyw
lun o sgwrs a cheisio bod yn galonogol obeithiol.

"Be ydi'r cam nesa 'ta?'

"Does 'na 'run … Ffyc ôl."

Cododd John ar ei draed gan gicio'r bwndel twt o bost yr
wythnosau diwethaf oedd wedi'i adael ger y drws, ond cyn
iddo adael yr ystafell trodd ac edrych ar Rhys.

"Gei di a dy gapal fynd i'r diawl. *Superstar* gweinidog, *my
arse.*"

"Sori am hynna, tydi John ddim yn …"

Wedi misoedd o geisio cynnal y tri, o fod yn gryf i'w merch
a chynnal ei gŵr, roedd y cyfan yn ormod i Meinir, a
dechreuodd feichio crio. Roedd wedi laru ar fod yn bositif, ar
ddweud wrth bawb y basa pob dim yn iawn yn y diwedd, a
hithau'n gwybod yn ei chalon mai celwydd oedd y cyfan. Ni
wyddai Rhys beth i'w ddweud na'i wneud. Eisteddodd yn fud
yn syllu ar Meinir yn torri'i chalon.

"Diolch i ti," meddai Meinir o'r diwedd.

"Am be?"

"Ti 'di'r cynta i beidio deud y bydd pob dim yn iawn."

"Falla sa'n well i mi fynd."

"Mynd? Na, cer i weld Catrin. Plîs. Ma hi wedi bod yn swnian isio dy weld ti ers i ni ddod nôl."

"Ydi hi'n effro?"

"Picia fyny i weld."

Wrth gamu ar y gris ola, teimlodd Rhys ddafnau o chwys yn rhedeg i lawr ei grys. Er bod Catrin ac yntau'n ffrindiau mawr roedd arno lond twll o ofn, ond rywsut neu'i gilydd cafodd ddigon o nerth o rywle i orfodi'i hun i gnocio'n ysgafn ar y drws a mentro i mewn i'r ystafell. Troediodd i mewn yn ofalus gan feddwl ei bod yn cysgu, ond torrwyd ar y distawrwydd gan ei chyfarchiad.

"Haia ti! Ti'n edrych 'di blino. Newydd ddod nôl o Gaerdydd w't ti?"

"Ia. Yn hwyr iawn neithiwr. Sut w't ti?"

"Ddim yn grêt. Ddudodd Mam a Dad wrtha chdi bod y driniaeth 'di methu?"

"Do."

"*Crap* 'de?"

"Ia."

"Welis i chdi ar y teli neithiwr."

"Do?"

"Ti'n ffêmys, yn union fel Robbie. Ond os ti'm yn meindio fi'n deud, mae o'n ddeliach."

"Diolch yn fawr i ti."

"Wel, ti am ofyn i mi sut oedd Mickey Mouse 'ta?"

Er bod ei hwyneb bach yn wyn fel y galchen, roedd y wên annwyl yn dal yno, ac wrth wrando arni'n adrodd hanesion amdani'n eistedd wrth ochr llygoden enwoca'r byd ar drên hyd diroedd Disneyworld, hawdd oedd ymgolli yn ei byd bach diogel a pharadwysaidd.

Dwi'n gwbod nad ydan ni wedi siarad yn ddiweddar, ond mae wedi bod yn brysur arna i … Ia, olreit, wn i … esgus tila. Ond ti'n gwbod yr hanes dwyt? Wyt siŵr. Chdi drefnodd y cwbl m'wn. Gwbod popeth dwyt? Falla bod Llinos yn iawn, falla mod i'n haeddu popeth ga i, ond mae un peth dwi'm yn ddallt. Pam gadal i Catrin ddiodda? Be nath hi i chdi erioed? 'Sa chdi 'di gallu gadal i'r driniaeth yn America lwyddo, 'sa pawb yn hapus, pawb yn barod i ddiolch i ti, dy ganmol di; ti 'di methu'n fan'ma, ti 'di 'ngadal i lawr ...

Treuliodd Rhys ychydig ddiwrnodau i lawr yng Nghaerdydd yn cwblhau'r trafodaethau parthed ei swydd newydd ac yn chwilio am fflat lawr yn y bae, ond a hithau'n tynnu am ddeg y nos doedd o ond yn rhy falch o weld arwydd Llanaber. Roedd wedi dychwelyd i'r gogledd er mwyn cadw un addewid.

Parciodd yr Audi ym maes parcio Soar ac anelu'n syth am y tŷ capel. Roedd y golau ymlaen yno. Caeodd y drws yn glep a safodd yn ei unfan wrth weld Llinos ar ei chwrcwd yn y gegin yn rhoi dau beint o lefrith ac ychydig o fwyd yn yr oergell. Cododd hi ar ei thraed ac edrychodd y ddau ar ei gilydd am yn hir, y naill na'r llall yn gwybod sut i ddechrau'r sgwrs.

"O'n i'm yn gwbod pa bryd 'sat ti'n cyrraedd nôl. O'n i'n ryw ama 'sa'r lle 'ma'n hanner gwag a feddylis i falla 'sa chdi isio llefrith ffres."

"Diolch i ti."

Bu saib hir arall rhyngddynt.

"Sut ma Meinir a John?"

"Uffernol."

"Sut w't ti?"

"Iawn."

"Gwranda, dwi ..."

"Alla i'm aros, ma raid i fi ..."

"Llin, plîs."

"Does 'na'm pwynt, Rhys, ma popeth drosodd."

Gosododd Llinos ei hallwedd ar y bwrdd a cherdded heibio i Rhys, ac er iddo geisio rhoi'i fraich allan i'w rhwystro fe'i gwthiodd o'r neilltu yn ddiseremoni. Oedodd wrth y drws ffrynt a throi i edrych arno. Er ei bod yn gwbl benderfynol nad oedd am ildio modfedd iddo, ni allai Llinos lai na theimlo trueni drosto. Edrychai Rhys yn welw ac yn ofnadwy o flinedig.

"Fyddi di'n iawn ar gyfer fory?"

"Paid cymryd arnat bod chdi'n poeni."

"Paid â dechra hynna eto, Rhys. Dwi wastad wedi trio 'ngora efo chdi, wedi poeni amdana chdi, dy roi di'n gynta ar hyd y beit – chdi sy 'di gneud smonach o betha, nid fi."

"Ti'm yn meddwl mod i'n gwbod hynna? Blydi hel, ddynas, dwi'n difaru'n enaid mod i 'di neud llanast go-iawn o betha. Cwbl o'n i'n drio neud oedd gneud yr hyn o'n i'n meddwl oedd ora i ni'n dau, ar gyfer y dyfodol, efo'n gilydd."

"Wel, nes di uffar o gamgymeriad, on'd do?"

Roedd y distawrwydd o du Rhys yn siarad cyfrolau, ac yn fwy o gyfaddefiad na chant a mil o eiriau.

"Gawn ni drio eto? Plîs, Llin?"

"Na, Rhys. Fyddi di wastad yn golygu lot i mi, ond mae popeth drosodd rhyngtha ni'n dau. Ma raid i chdi sylweddoli hynna. Pob lwc i ti fory, dwi'n siŵr fyddi di'n iawn."

Ac ar hynny, cerddodd Llinos o dŷ'r capel a chau'r drws yn ddistaw ar ei hôl.

Edrychodd Rhys ar y dorf sylweddol ym mynwent Llanaber tra oedd yr arch yn cael ei gollwng yn araf a phwyllog i'r bedd. Yn ddynion a merched fel ei gilydd, roedd y mwyafrif llethol yn crio, ond doedd yr un deigryn yn agos at wynebau Meinir a John. Edrychai'r ddau fel pe baent wedi heneiddio ddeng mlynedd mewn ychydig ddyddiau, ac wrth iddynt daflu llond dyrnaid o bridd ar yr arch gallai Rhys glywed Meinir yn sibrwd ei ffarwél olaf i'w merch. O dipyn i beth ymlwybrodd y dorf yn araf i gyfeiriad y festri, ond doedd gan John ddim bwriad eu dilyn ac fe drodd tuag at y Swan er i Meinir grefu arno i aros. Gafaelodd Llinos yn ei braich a'i thywys yn garedig tua'r festri, ond nid cyn i Meinir droi at Rhys.

"Diolch i ti am heddiw, roedd y deyrnged 'na'n fendigedig."

"Dyna'r peth anodda dwi rioed wedi'i neud."

"Roedd hi isio i mi roi hwn i ti."

Rhoddodd Meinir amlen binc yn llaw Rhys a tharo cusan ysgafn ar ei foch cyn iddi hi a Llinos droi at y festri i rannu'r bara brith a'r dagrau o gydymdeimlad. Syllodd Rhys ar eu holau, ond ni throdd Llinos ei phen, dim ond cerdded yn ei blaen.

Ni allai Rhys stumogi'r mân siarad diddiwedd yn y festri; awgrymai ei gydwybod y dylai fynd i'r Swan i gadw cwmni i John, ond y cwbl a fynnai y munud hwnnw oedd ei gwmni'i hun. Dihangodd yn dawel ac anelu am Moelfre.

Taniodd sigarét ac aeth i'w boced, gan dynnu'r amlen fawr binc allan a syllu ar yr enw 'Rhys' wedi'i sgwennu mewn *felt-tips* coch a melyn. Agorodd yr amlen yn ofalus gan sicrhau nad oedd yn ei rhwygo fwy nag oedd yn ofynnol. Gafaelodd yn y papur piws oedd wedi'i blygu'n ddestlus yn ei hanner a syllu ar yr ysgrifen dwt.

Annwyl Rhys,

Dwi'n gwbod bod Mam yn mynd yn flin efo fi am alw chdi'n 'ti', ond dyna be ma ffrindia'n ddeud wrth ei gilydd, a 'dan ni'n ffrindia da, tydan? Diolch am helpu fi gal mynd i weld Mickey a trio fy ngwella fi.

Mae Mam a Dad yn crio lot achos mod i'n mynd i aros efo Duw cyn bo hir, ond dwi'n edrych mlaen. Dwi'n mynd i ddweud wrtho fo bod fi'n nabod gweinidog ffêmys, a bod chdi'n dda am sticio ffydd tu mewn i bobl, ond yn crap am chwara Scrabble.

Unwaith fydda i wedi mynd, fydda i'n edrych lawr arna chdi ac yn gneud yn siŵr dy fod yn bihafio – felly paid ti â rhegi gormod a bod yn hogyn drwg, reit?

Ta-ta a swsys mawr,
Catrin
xxxxxx

Syllodd Rhys yn hir ar y llun o Catrin yn gwenu'n braf yng nghwmni Mickey Mouse, a disgynnodd y dagrau'n ddi-baid. Trwy'r dagrau, edrychodd i lawr ar Lanaber a Chapel Soar. Gallai weld Cagney a Lacey'n stryffaglu mynd am eu car, Dic Deryn Corff yn sleifio allan o'r festri gyda'i fag yn orlawn o frechdanau a bara brith, a Gresyn a Bic yn sefyllian y tu allan i'r capel yn prysur ysgwyd llaw a sgwrsio'n ddiwyd gyda'u cyd-alarwyr.

Oes 'na rywun fyny fan'na efo chdi, Catrin? Ma raid i fi gal gwbod. Plîs duda bod 'na.

Ond ni allai Rhys glywed dim, dim ond sŵn brefu ambell i ddafad. Cododd ar ei draed a chydio yn ei fobeil.

"I'd like to book a flight to New Zealand, please … No, one-way."